Alberto Vázquez-Figueroa (1936). Nació en Santa Cruz de Tenerife. Antes de cumplir un año, su familia fue deportada por motivos políticos a África, donde permaneció entre Marruecos y el Sáhara hasta cumplir los dieciséis. A los veinte años se convirtió en profesor de submarinismo a bordo del buque-escuela *Cruz del Sur*. Cursó estudios de periodismo, y en 1962 comenzó a trabajar como enviado especial de *Destino*, *La Vanguardia* y posteriormente de Televisión Española. Durante quince años visitó casi un centenar de países y fue testigo de numerosos acontecimientos clave de nuestro tiempo, entre ellos las guerras y revoluciones de Guinea, Chad, Congo, República Dominicana, Bolivia, Guatemala… Las secuelas de un grave accidente de inmersión le obligaron a abandonar sus actividades como enviado especial. Tras dedicarse una temporada a la dirección cinematográfica, se centró por entero en la creación literaria. Ha publicado más de cuarenta libros, entre los que cabe mencionar: *Tuareg*, *Ébano*, *Manaos*, *Océano*, *Yáiza*, *Maradentro*, *Viracocha*, *La iguana*, *Nuevos dioses*, *Bora Bora*, la serie *Cienfuegos*, la obra de teatro *La taberna de los Cuatro Vientos*, *La ordalía del veneno*, *El agua prometida* y *Alí en el país de las maravillas*. Nueve de sus novelas han sido adaptadas al cine. Alberto Vázquez-Figueroa es uno de los autores españoles contemporáneos más leídos en el mundo.

Biblioteca

ALBERTO VÁZQUEZ-FIGUEROA

A la deriva

DeBOLSILLO

Diseño de la portada: Departamento de diseño de Random
   House Mondadori
Fotografía de la portada: © Dan Holmberg/Photonica.
   © Jonathan Safir/Photonica

Segunda edición en DeBOLS!LLO: abril, 2006

© 2005, Alberto Vázquez-Figueroa
© 2005, Random House Mondadori, S. A.
   Travessera de Gràcia, 47-49. 08021 Barcelona

Printed in Spain – Impreso en España

ISBN: 84-9793-893-3 (vol. 69/52)
Depósito legal: B. 21.705 - 2006

Compuesto en Fotocomposición 2000, S. A.

Impreso en Novoprint, S. A.
Energía, 53. Sant Andreu de la Barca (Barcelona)

P 838933

Un agresivo mar de lava; un desolado universo de agrestes montañas que se elevaban hasta donde alcanzaba la vista, con tan distintas tonalidades de color en las rocas, pasando del negro al ocre, y del amarillo intenso al magenta, que cabría imaginar que quien lo pintó debió de pasar largas jornadas mezclando colores hasta conseguir una infinita gama de matices sin necesidad de tener que recurrir a los azules, los blancos o los verdes.

Pero aquel impresionante «Valle del Silencio» no era fruto de la desbordada fantasía de un artista deseoso de crear algo nuevo y absolutamente diferente, sino una muestra más de hasta qué punto la naturaleza es capaz, cuando se empeña en ello, de superarse a sí misma a la hora de demostrar su inagotable originalidad.

Caía la tarde, la hora en que una luz suave y tamizada extraía con mayor precisión los detalles de un lugar único e inimitable, y la mujer, que había permanecido largo rato absorta y en silencio, como si fuera la primera vez que contemplaba un espectáculo que no obstante había visto cientos de veces, inquirió de repente:

—¿Se trata del verdadero origen de la vida?

—Me temo que sí.

—En ese caso, ¿dónde está Dios?

—Dios está en la creación del universo, en todo cuanto vemos cuando alzamos el rostro en mitad de la noche y distinguimos miríadas de planetas, cometas, estrellas y constelaciones que giran la una en torno a la otra como la más perfecta maquinaria.

—Pero eso no son más que objetos; un conjunto de minerales y elementos químicos. Yo te estoy hablando de vida.

—¿De vida o de alma?

—Vida en los animales y las plantas —puntualizó ella—; alma en los seres humanos.

Damián Ojeda ni siquiera se volvió a mirar a su esposa pues continuaba hipnotizado por el espectáculo de los volcanes de negra lava y rojizas rocas que conformaban el fantasmal paisaje. Tras unos instantes de reflexión, replicó:

—La vida, tal como nosotros la entendemos, es apenas una parte infinitesimal del conjunto del universo; menos que un grano de arena en el desierto o una gota de agua en el océano que se extiende al otro lado de esos volcanes... —Hizo un corto paréntesis de silencio en su disertación antes de añadir—: A los seres humanos ni tan siquiera se nos distingue en la totalidad de la tierra, y la tierra no es más que un minúsculo planeta de una minúscula estrella de una minúscula galaxia. Pero aun así somos tan estúpidamente pedantes que nos consideramos el centro de la creación y pretendemos que Dios nos hizo a su imagen y semejanza.

—Esa siempre se me ha antojado una afirmación monstruosa —admitió ella—. Y no por la incalificable osadía de intentar colocarnos a la altura del Señor, sino por la falta de respeto que significa hacerlo descender hasta nuestro nivel.

—Aun así nos aferramos a la idea de que Dios siempre está pendiente de nosotros, cuando en realidad tan solo somos una imperceptible consecuencia de su obra.

—No me gusta que hables así —masculló evidentemente malhumorada Leonor Salazar, una mujer alta y muy delgada que había superado ya el medio siglo, pero pese a ello conservaba una atractiva figura gracias sin duda a una constante dedicación y un agotador ejercicio físico—. Según esa teoría seríamos simples pedazos de roca que habrían conseguido evolucionar con el paso de millones de millones de años.

—Y según nos han revelado los microscopios, es lo que en realidad somos —sentenció su marido, convencido de lo que decía.

—Cuando dices esas cosas tengo la impresión de que con todo esto pretendes ir más allá que el propio Darwin.

—Más allá, no… —fue la tranquila respuesta—. Tan solo seguir el camino que él inició casi en la recta final de su vida.

—Explícate.

—Es muy simple: Darwin desarrolló su teoría de la evolución de las especies partiendo de la base de que estas ya existían; lo único que hicieron fue ir adaptándose muy lentamente al medio en que les correspondió vivir.

—Eso lo vimos muy bien cuando estuvimos en las Galápagos —admitió ella—. Sobre todo cuando estudiamos aquella curiosa variedad de pinzones que tanto nos sorprendió. Pero de lo que vimos allí a lo que pretendemos hacer creer ahora, media un abismo.

—No tanto —la contradijo Damián Ojeda sin cambiar el tono de voz—. Tras lo que hemos venido observando durante estos últimos días, debemos admitir que en un principio muy remoto esas especies evolucionaron a partir de la unión de una serie de elementos químicos a los que la simple casualidad asoció de tal modo que dio origen a una forma de vida que millones de años más tarde finaliza en nosotros.

—¿Te das cuenta de qué puede significar eso para la especie humana? —quiso saber su esposa—. ¿Qué hará la gente cuando descubra que todo en lo que siempre ha creído, todos sus principios éticos y morales partieron de una base errónea?

—¿Por qué errónea? —preguntó su marido—. Dios sigue estando en el origen de toda la Creación. La única diferencia estriba en que el camino ha sido más largo y más complejo.

—¡Demasiado complejo!

—Siempre se ha dicho que Dios modeló en barro al primer hombre y le insufló la vida. No era barro puesto que hemos comprobado que se trata de fango, pero ha sido el propio Creador el que le insufló esa vida, porque los elementos utilizados también han sido creados por él.

—Por lo que veo continúas decidido a seguir adelante pese a que la opinión pública mundial y probablemente la comunidad científica en peso nos puede descalificar.

—¿Y qué motivos tendrían para descalificarnos? —quiso saber Damián Ojeda, que se volvió y miró directamente a los ojos de la mujer con la que convivía hacía ya más de veinte años—. Desde que tienen uso de razón los hombres se han hecho siempre la misma pregunta: «De dónde venimos y adónde vamos». ¿Crees que tenemos derecho a ocultarles que por fin se ha encontrado una respuesta a la primera parte de dicha pregunta?

—¿Y acaso crees tú que los hombres desean saber que la respuesta es tan vulgar, horrorosa y descarnada?

—Es la verdad.

—Demasiado cruel y dolorosa —opinó en tono agrio, y quizá demasiado amargo, Leonor Salazar.

—La verdad casi siempre es cruel y dolorosa —sentenció su esposo—. Y sabes muy bien que lo que tenemos en las manos es una certeza que muchos científicos han estado persiguiendo desde hace siglos.

—Inútilmente.

—Inútilmente, lo admito, pero pronto o tarde, más bien pronto al ritmo que llevan las investigaciones, alguno de ellos llegará a las mismas o parecidas conclusiones.

—Yo no estaría tan segura —sentenció ella—. ¿Por qué van a encontrar ahora lo que nunca encontraron?

—Lo ignoro, pero podría darse el caso, y ante semejante riesgo la pregunta es muy simple: ¿debemos guardar silencio y permitir que sean otros los que se lleven la gloria y pasen a la historia, o merecemos hacernos famosos y acabar de una vez por todas con nuestros problemas?

—Aún no lo tengo claro.

—¡Pues yo sí! —insistió él con sorprendente tozudez—. Llevamos más de diez años estudiando día tras día y hora tras hora; nos hemos dejado lo mejor de nuestra juventud y la mayor parte de nuestros ahorros en un empeño que no ha dado los frutos que esperábamos, y cuando al fin se nos presenta una oportunidad no es cuestión de plantearse consideraciones éticas o morales. Teníamos que haberlo pensado hace tiempo, no ahora.

—Tengo miedo.

—¿Y por qué no lo dijiste antes?

—Porque, si quieres que te sea sincera, nunca imaginé que llegaríamos hasta aquí. ¿Estás seguro de que la comunidad científica aceptará que una simple pareja de biólogos, sin ninguna ayuda oficial y trabajando en un laboratorio de pacotilla, haya conseguido un logro de tan fabulosas proporciones?

—Ningún laboratorio, por muy bien equipado que esté, sirve de nada si quienes lo utilizan carecen del talento y la preparación necesarias —puntualizó su esposo, convencido de lo que decía—. Y ten en cuenta… —añadió— que para lo que pretendíamos en un principio esta isla es el mejor laboratorio que existe. De hecho es ella la que ha dado unas respuestas que jamás se habrían encontrado, ni siquiera en las instalaciones de la NASA.

—En eso es posible que tengas razón.

—No solo es posible, tú sabes perfectamente que la tengo. Hemos recorrido hasta el último de sus rincones, conocemos cada roca y cada pedazo de lava, y sabemos mejor que nadie que oculta secretos que sorprenderían a cualquier científico, por exigente que fuera.

—¡De acuerdo! —admitió la mujer al tiempo que se ponía lentamente en pie decidida a emprender el largo camino de regreso—. Y de acuerdo también en que debemos sacar a la luz esos descubrimientos, pero antes de que los hagas públicos me gustaría que lo consultaras.

Damián Ojeda, que la había imitado y se encaminaba tras ella hacia el vehículo que permanecía aparcado a poco más de un kilómetro de distancia, se detuvo al tiempo que inquiría evidentemente desconcertado:

—¿Consultarlo con quién?

—¡No lo sé! —respondió ella volviéndose a observarle—. Imagino que con aquellos que pudieran aconsejarnos la mejor forma de encarar a la opinión pública.

—¿En quién estás pensando?

—En químicos, biólogos, naturalistas, e incluso no estaría de más que tuviéramos en cuenta la opinión de algún teólogo.

—¿Teólogo? —se sorprendió su marido, al que evidentemente le costaba trabajo entender a qué se refería la mujer—. ¿Qué tienen que ver los teólogos con todo esto?

—¡Mucho! —fue la convencida respuesta—. En realidad creo que son quienes más tienen que ver con el origen de la vida.

—Creo que sigues dándole demasiada importancia a Adán y Eva.

—Y yo creo que tú sigues dándole demasiada importancia a Darwin.

Si buscara comprensión a lo que hice, tendría que remontarme al día de mi nacimiento, o quizá incluso a mucho antes, puesto que el cúmulo de desgracias que marcaron mi vida comenzaron en el vientre de mi madre, que probablemente no tuvo culpa alguna de concebirme como soy, o tal vez sí, puesto que debió tener más cuidado a la hora de elegir a quién le daba un hijo no deseado, tanto menos deseado cuanto que vino al mundo llorando, y no porque llorar deba ser la primera obligación de un recién nacido, sino porque presentía que mis incontables malformaciones me harían llorar hasta el día de mi muerte.

Quien me mire probablemente entienda las razones por las que mi padre nunca quiso saber nada de mí, y por las que mi madre renegó de igual modo de su poco agraciado y casi repelente hijo en cuanto se le presentó la menor oportunidad.

Sin ser huérfano me crié en un orfanato, y allí, en el reino de los niños solitarios e infelices, yo era el rey, ya que siempre fui, por mis defectos, el más solitario e infeliz de todos ellos.

Cuando los demás corrían, yo me veía obligado a sentar-

me y observar; cuando los demás jugaban, yo no podía hacer otra cosa que sentarme y observar, e incluso cuando los demás reían, observaba y me preguntaba qué razones podía tener nadie, aunque fuera un niño, para reír cuando vivía entre las cuatro paredes de aquel sórdido y frío mausoleo.

Lo único que aprendí durante los largos años que pasé en tan odioso lugar fue a analizar cuanto ocurría a mi alrededor e intentar averiguar los motivos por los que ocurría.

Esa ha sido la pauta que ha marcado mi forma de ver la vida y la verdadera razón por la que ahora me encuentre donde me encuentro.

Son muchos los que presuponen que aquellos que se mantienen al margen de la sociedad y eligen, a menudo porque no les queda otro remedio, el casi total aislamiento, acaban por adquirir un concepto erróneo del mundo y de los seres que lo habitan, pero, en mi opinión de experto en la materia, no siempre es así.

Precisamente ese distanciamiento propicia un mejor estudio de las personas y un análisis mucho más cuidadoso y desinteresado de ciertos problemas y situaciones.

La soledad no siempre es buena, y eso lo asegura uno de los hombres más solitarios del planeta, pero tampoco es siempre mala, puesto que la mayoría de los seres humanos que nos rodean son mucho peores que la peor soledad.

La soledad ni habla, ni opina, ni proporciona ninguna alegría, pero tampoco menosprecia, miente o traiciona.

Es lo que es, y si la aceptas sabes qué puedes esperar de ella, visto que jamás traicionará sus principios; siempre está ahí, no cuida de ti pero tampoco te hiere o te maltrata.

Los expertos en soledad, que somos por desgracia millones y cada día seremos más al paso que llevan los atribulados y complejos tiempos que nos ha tocado vivir, la aman y la aborrecen por igual, pues tal como suele suceder con muchas personas o cosas, resulta maravillosa cuando la buscamos, pero también resulta aborrecible cuando es ella la que nos busca y nos encuentra.

Me casé con la soledad a la fuerza y el nuestro ha sido un curioso matrimonio compuesto de largos períodos de amor y desamor, de odio y pasión, de anhelos y hastíos.

Quiero suponer que como casi todos los matrimonios.

El mío es un matrimonio que cumplió ya hace mucho sus bodas de plata, pues empezó el primer día en que tuve uso de razón, miré a mi alrededor y descubrí que eran muchas las cosas que me separaban del resto de los niños que lloriqueaban en las camas vecinas.

Las únicas muestras de sincero cariño que recibí en mi infancia vinieron de una vieja monja de la que nunca supe su verdadero nombre, puesto que todos los pupilos la llamábamos «Madre», quizá con el inconsciente y egoísta deseo de apropiarnos en exclusiva de aquel nombre y aquel concepto.

Era una buena mujer, afectuosa y sacrificada, de eso no me cabe la menor duda, pero evidentemente no era suficiente madre para todos los hijos de puta ansiosos de afecto que allí nos amontonábamos.

Es el único ser humano por cuya muerte he llorado, y es que, en lo que a mí respecta, es la única persona que merecía que alguien tan resabiado como yo derramara una lágrima.

Que yo recuerde, y mi memoria es excelente, nadie ha derramado nunca ni una triste lágrima por mí.

La razón es muy simple: nadie llora por algo que no existe, y a menudo he tenido la impresión de que hasta hace muy poco había pasado por la vida tan de puntillas que nadie había advertido mi existencia.

Incluso a mí me sorprende un cambio tan radical cuando ya me había hecho a la idea de que abandonaría la escena con el mismo sigilo y discreción con que la había atravesado.

Sin proponérmelo me he convertido en foco de atención y en protagonista de una sorprendente historia en la que nunca hubiera deseado tomar parte, resignado como estaba a la idea de acabar mis días en el triste anonimato de una existencia gris pero tranquila.

¿Es bueno pasar de no ser nada ni nadie, a saltar a la fama y tener que pagar un precio tan elevado?

Hace tiempo que me planteo esa pregunta y, para ser sincero, debo reconocer que aún no he encontrado una respuesta satisfactoria. Lo que yo en verdad buscaba era otra cosa, porque debo reconocer que en realidad a lo único que aspiré en un tiempo fue a que se me viera como algo más que un pobre tullido con el que la madre naturaleza había sido harto egoísta.

Seis pares de ojos observaban, expectantes, al matrimonio Ojeda, que ocupaba, uno a cada lado, la cabecera de una gran mesa ovalada, aunque de tanto en tanto no podían evitar desviar la vista hacia otra mesa, más pequeña y cubierta con un gran paño blanco, que se encontraba en un rincón del amplio salón cuyos ventanales daban sobre el azul del mar y el islote de Lobos, que se recortaba contra las montañas de la lejana isla de Fuerteventura que se alzaba a sus espaldas.

Al fin, después de unos instantes de indecisión y tras carraspear repetidas veces, Damián Ojeda comenzó su bien meditada disertación:

—Como probablemente la mayoría de ustedes deben saber —dijo—, la isla de Lanzarote sufrió a finales de mil setecientos una de las más prolongadas y violentas erupciones volcánicas de que se tiene conocimiento en toda la historia. Durante casi ocho años, la naturaleza pareció volverse loca: surgieron altas montañas que desaparecieron días más tarde convirtiéndose en abismos, el fuego lo arrasó todo, las rocas se derritieron, la lava invadió casi la cuarta parte de su superficie y se adentró en el mar, gases venenosos contaminaron la atmósfera matando a miles de animales, y la mayor parte de los lugareños tuvieron que huir a otras islas porque corrían riesgo de perecer.

—Algo sabemos de eso, en efecto —admitió con un cierto tono de aburrimiento uno de los presentes.

—En ese caso sabrán también que la titánica batalla que aquí se libró entre el agua, la tierra y el fuego se puede comparar en cierto modo a la que debió de librarse, a gigantesca escala, en el momento de la creación del planeta. Todo fue caos, confusión, estruendo y muerte.

Nadie hizo comentario alguno, pero los cuatro hombres y las dos mujeres recién llegados a la isla intercambiaron furtivas miradas, como si todos y cada uno de ellos intentara adivinar si su vecino tenía alguna idea sobre la razón de tan desconcertante introducción.

Damián Ojeda se volvió hacia su esposa, vestida para la ocasión con un vestido de Dior algo pasado de moda, que le hizo un leve gesto de asentimiento como si tratara de darle ánimos, por lo que se sirvió un vaso de agua; tras beber con estudiada parsimonia, añadió:

—Cuando al fin volvió la calma, el paisaje había cambiado por completo: lo que antaño eran pueblos y campos de cultivo había desaparecido y sobre todo ello no quedaba más que un mar de lava bajo cuyo caparazón aún pueden encontrarse en algunos lugares muy concretos del Parque Natural temperaturas de cientos e incluso miles de grados.

—La mayoría también sabíamos eso —fue el en cierto modo áspero comentario del único miembro del grupo que había hablado hasta ese instante, un anciano muy alto y con una abultada nariz que denotaba una clara ascendencia francesa, al igual que su apellido, Carrière Beson—. La historia geológica de Lanzarote es sobradamente conocida; además, se encuentra en los folletos que nos han regalado al llegar.

Los gestos de asentimiento, e incluso de cierto fastidio ante algo sobradamente conocido para la mayor parte de sus acompañantes, denotaron a las claras que compartían sus palabras, lo cual pareció desconcertar por unos instantes al orador, que sin embargo se rehízo de inmediato para señalar:

—En ese caso, supongo que entenderán que al visitar la isla hace ya más de diez años, mi esposa y yo llegáramos a la conclusión de que este era el lugar idóneo para llevar a cabo nuestras investigaciones.

—¿Qué clase de investigaciones? —quiso saber Irene Montagut, una mujerona con aspecto de marimacho y prominente mandíbula, cuya voz parecía surgir de lo más profundo del intestino grueso.

—En principio nos concentramos en el estudio de la cochinilla, un parásito que vive en cierta variedad de cactus, con el fin de acelerar su reproducción dadas sus múltiples aplicaciones comerciales, pero eso es algo que no viene ahora al caso porque lo cierto es que al cabo de un tiempo nos concentramos en algo mucho más interesante y concreto.

—¿Y es? —inquirió uno de los presentes.

—El origen de la vida.

—Ya.

—¿Le sorprende?

—Me temo que hoy no va a sorprenderme nada —fue la casi despectiva respuesta.

—Y sin embargo yo confío en que este se convierta en el día más sorprendente de su vida —intervino por primera vez, y evidentemente un tanto molesta por el tono empleado, Leonor Salazar—. Tan solo les pedimos un poco de paciencia.

—¿Acaso pretenden hacernos creer que han encontrado el origen de la vida?

—Consideramos que sí.

—¡Oh, vamos, señora, no nos haga perder el tiempo! —no pudo por menos que exclamar David Benegas, un hombrecillo con unos enormes ojos muy verdes y una negra barba cuidadosamente recortada—. ¡No me diga que hemos hecho un viaje tan largo para escuchar majaderías!

—Dentro de una hora decidirán si son o no majaderías —replicó, evidentemente ofendida, la anfitriona—. Y quiero suponer que pedir una hora de su tiempo no es pedir demasiado.

—Le sobrarán cincuenta minutos, pero ya que estamos aquí, aquí seguiremos… —Los verdes ojos se volvieron hacia el resto de los presentes interrogativamente y añadió—: ¿O no?

Como la mayoría se limitó a encogerse de hombros mostrando paciencia, aburrimiento o indiferencia, Damián Ojeda recuperó el uso de la palabra decidido a continuar con su desconcertante exposición.

—¿Alguno de ustedes tiene idea de qué es un tubo volcánico? —inquirió observando a los presentes uno por uno.

—Más o menos.

—En ese caso lo aclararé para quienes no estén al tanto; un tubo volcánico se forma cuando tras una gran erupción y mientras el río de lava incandescente muy fluida corre libremente comienza a llover con intensidad. Entre la lluvia y el aire van enfriando poco a poco la capa exterior del magma; esta se endurece, pero por debajo la lava líquida continúa fluyendo; mientras sus restos desaparecen, casi siempre en dirección al mar, van dejando a su espalda una especie de gigantesca tubería que en ocasiones puede llegar a introducirse cientos de metros en el océano como ocurre en los Jameos del Agua, al norte de la isla.

—Ha quedado claro —admitió Sebastián Carrière Beson—. Pero ¿qué tiene eso que ver con el origen de la vida?

—Si deciden quedarse unos días en la isla les enseñaremos un tubo volcánico que nadie había recorrido con anterioridad y en cuyo fondo descubrimos varias pozas de escasa profundidad de un extraño fango en el que se mezclaban principalmente hierro, azufre, calcio, manganeso, jarosita y otros elementos químicos de menor entidad cuya enumeración sería demasiado larga y compleja.

—¿Y qué pasa con ellas?

—La mayoría de esas pozas son casi idénticas en su composición, pero ofrecen una curiosa peculiaridad: en una de ellas existen unos primitivos, pero muy activos microorganismos de extraño aspecto ciertamente inclasificable; en las restantes no.

—¿Y eso qué prueba? —quiso saber la otra mujer que formaba parte del selecto grupo de elegidos, Soledad Miranda, cuya amplia sonrisa y desenvueltos ademanes desentonaban con la evidente adustez de sus sesudos compañeros.

—Nada en absoluto.

—¿Entonces…?

—Nos llamó la atención que existiese vida en un tubo volcánico que había permanecido herméticamente cerrado durante miles de años, y en cuyo interior se habían producido evidentemente temperaturas muy extremas —fue la tranquila respuesta.

—¿Por qué imagina que permaneció cerrado durante miles de años? —quiso saber su interlocutora—. Según acaba de asegurar, las grandes erupciones tuvieron lugar hace poco más de doscientos años.

—En efecto, así es, pero se da la circunstancia de que este tubo volcánico se encuentra en el norte; en el Malpaís del volcán de la Corona, que es muchísimo más antiguo que los que se formaron durante las erupciones de mil setecientos.

—¿Y cómo puede estar tan seguro de que permaneció herméticamente cerrado durante tanto tiempo?

—Porque lo abrió, por puro accidente, una excavadora que estaba trabajando en una nueva carretera, y en ningún tramo de los dos primeros kilómetros encontramos rastro alguno de vida. Tan solo en el fondo, y únicamente en esa poza.

—¡Curioso! —admitió inclinando levemente la cabeza la aún atractiva Soledad Miranda—. ¡Muy curioso!

—Eso mismo opinamos nosotros… ¡curioso!, y todo investigador debe ser ante todo curioso frente a los fenómenos de la naturaleza que no ofrecen una explicación lógica.

Uno de los hombres que hasta ese momento no se había dignado abrir la boca, como si cuanto allí se decía poco o nada tuviera que ver con él, Dionisio Amorós, un desaliñado gordinflón con una alborotada cabellera muy blanca y una camisa muy arrugada, preguntó como si de improviso el tema comenzara a interesarle:

—¿Qué distancia separa esa poza de las restantes?

—Unos tres metros por término medio.

—¿Y en las otras no hay rastros de vida?

—¡En absoluto! Solo fango, aunque con una alta concentración de hierro, fósforo, nitrógeno y silicatos. Eso nos indujo a pensar que en esa poza en concreto se había dado alguna circunstancia especial que la diferenciaba de las demás.

—¿Y averiguaron de qué se trataba?

Ahora fue Leonor Salazar la que intervino para señalar con evidente orgullo:

—Nos ha llevado casi dos años de mucho esfuerzo y cuidadosa investigación, pero al final lo hemos descubierto.

—¿Y es?

—Que sobre la poza que nos ocupa cuelga una estalactita de unos veinte centímetros de largo por la que se desliza una sustancia química que cada dos días deja caer una minúscula gota sobre el fango.

—¿Qué clase de sustancia?

—Ese es un detalle que, si no les importa, preferiríamos mantener, de momento, en secreto puesto que en su composición y en las condiciones en que se aplique al fango reside el quid de la cuestión.

—¿Insinúa que una gota de ese producto, sea el que sea, es la que provoca una reacción química que da como fruto un microorganismo dotado de vida propia? —quiso saber la mujer de la voz cavernosa.

—No lo insinúo; es así.

—¡No me lo creo!

—¡Valiente tontería!

—¡Pamplinas!

Damián Ojeda se encaró a los escépticos al tiempo que se ponía en pie y apartaba el paño blanco que cubría la mesa vecina con el fin de dejar a la vista una serie de probetas y microscopios, así como cuatro gruesas libretas de tapas negras.

—Ya imaginábamos que un hecho tan trascendental no se acepta si no va acompañado de pruebas indiscutibles —dijo—. Y por ello aquí tienen: por un lado un recipiente con fango del tubo volcánico, y por el otro nuestras notas de trabajo y un frasco con el componente que hemos denominado «Ojeda-Salazar 23».

—¿Y qué se supone que vamos a hacer con eso?

—Estudiar las notas y sobre todo analizar cuidadosamente el fango y el componente químico con los microscopios con el fin de cerciorarse de que en ninguno de los dos elementos se encuentra el menor rastro de vida, pero que en cuanto se unen se desarrolla un microorganismo.

Los cuatro hombres y las dos mujeres se consultaron con la mirada y por un instante pareció que no tenían la menor intención de aceptar tan desconcertante oferta optando por ponerse en pie y abandonar la estancia menospreciando lo que se les antojaba un absurdo disparate.

No obstante, se advertía tanta seguridad en las palabras y el comportamiento de sus anfitriones que decidieron no moverse de sus asientos; sin duda cada uno de ellos aguardaba a que fuera otro el que tomara una decisión.

—¿Hay algo que les preocupe? —inquirió, al cabo de un tiempo que pareció increíblemente largo, Damián Ojeda—. Les aseguro que los microscopios no muerden.

—Me preocupa el ridículo… —replicó desabridamente Sebastián Carrière Beson expresando tal vez el sentir general—. Aproximarme a esa mesa presupone que acepto que existe una remota posibilidad de que lo que afirman es cierto, y el simple hecho de pensarlo rompe todos los esquemas de lo que ha sido mi vida y los principios básicos en los que siempre he creído.

—¿E imagina que no nos ha ocurrido algo semejante? —intervino Leonor Salazar—. Le aseguro que a veces me despierto en mitad de la noche creyendo que estoy viviendo una pesadilla, y me asombra despertar a la realidad. Siempre he sido profundamente creyente pero nuestras investigaciones nos han llevado a un punto en el que chocamos de frente con todas las religiones.

—Ya te he dicho que no estoy de acuerdo con eso —le

contradijo casi mordiendo las palabras su marido—. A mi modo de ver Dios sigue estando por encima de todo.

—No el Dios en que yo creo, que permitió que le clavaran en una cruz para redimirnos de nuestros pecados. —Leonor Salazar se volvió hacia el individuo que ocupaba el extremo más alejado de la mesa al tiempo que inquiría—: ¿No opina lo mismo, padre?

El padre Anselmo Arriaga, que se había limitado a escuchar como si nada de todo cuanto allí se discutía tuviera que ver con él, apenas se molestó en murmurar:

—Aún no tengo elementos de juicio para opinar. Ni creo que los tuviera aunque se me ocurriera acercarme a esa mesa.

—¿Y eso por qué?

—Porque no necesito microscopios para ver a Dios; su grandeza se entiende mejor a través de un telescopio.

—Alguien dijo en cierta ocasión que a Dios se le puede encontrar de igual modo en lo infinitamente grande que en lo infinitamente pequeño —puntualizó el hombre que le había invitado a visitar la isla.

—Puede que tenga razón, pero para ver lo infinitamente grande hay que mirar hacia arriba, y para ver lo infinitamente pequeño hay que mirar hacia abajo. Y yo prefiero mirar siempre hacia arriba.

—Creo que en eso estriba la esencia del problema —afirmó su interlocutor—. Con demasiada frecuencia tratamos de encontrar las soluciones muy lejos, cuando en realidad las tenemos muy cerca.

—¿Qué pretende decir con eso?

—Que en buena lógica la vida no debió de empezar con la creación de un enorme dinosaurio, ni tan siquiera con la de un ser humano, por primitivo que fuera. La vida tuvo que empezar por una simple bacteria o el más elemental microorganismo, que fue evolucionando hasta llegar a lo que ahora somos. Lo cual no excluye que sea el propio Dios el que se entretenga en ir perfeccionando paso a paso su obra hasta que llegue un día en que al fin se sienta plenamente satisfecho.

—Como idea puede ser interesante. Como realidad nunca la aceptaría.

Siempre fui un buen estudiante, en parte porque mi imposibilidad de jugar, hacer deporte o participar de las actividades de los otros muchachos me dejaba más tiempo para serlo, en parte por mi inveterada costumbre de observarlo y analizarlo todo, y en parte porque pronto llegué a la conclusión de que aprender era la mejor forma que tenía de sentirme distinto, prescindiendo de mi deformidad, y la única posibilidad que se me ofrecía de escapar a un futuro de mendigo a la puerta de una iglesia.

Si en los tiempos que corren, el destino no suele ser demasiado generoso ni con quien se encuentra en posesión de todas sus facultades, ¡imagínense con los minusválidos!

Las famosas barreras arquitectónicas o urbanísticas de que tanto se habla en cuanto se refiere a nosotros, apenas nos molestan cuando las comparamos con las invisibles barreras mentales que hacen que la mayor parte de la gente prefiera mantenerse lejos de un tullido.

La burla nos duele y el desprecio nos hiere, pero la repugnancia nos mata.

Dicen que lo que en verdad importa en un ser humano es el alma, pero conozco a miles de seres humanos con el alma podrida y hedionda a quienes se acepta de buen grado e incluso se alaba y agasaja, mientras que a aquellos de nosotros que tenemos, como en mi caso durante mucho tiempo, un alma impoluta pero una visible deformidad física de la que no soy responsable, se nos aparta y olvida como si fuéramos seres apestados.

Dicen también que lo que nos diferencia de las bestias es nuestra inteligencia, pero una mente obtusa encerrada en un hermoso cuerpo triunfa allí donde fracasa una mente brillante encerrada en un cuerpo deforme.

La sociedad admira aquello que dice aborrecer, al tiempo que aborrece aquello que asegura admirar pero lo cierto es que siempre prefiere una mentira envuelta en seda a una verdad envuelta en arpillera.

Creo sinceramente que durante casi medio siglo he sido una de esas verdades envueltas en arpillera a la que nadie prestó nunca la menor atención ni se molestó en tratar de averiguar qué se ocultaba bajo una basta capa de pintura informe, como un diamante enterrado en una masa de sucio carbón, y no me avergüenza admitir que ello provocó que durante mucho tiempo me sintiera profundamente resentido hacia cuantos me rodeaban.

Más tarde, descubrí, y ello me sorprendió y me hizo reflexionar, que yo mismo había menospreciado a una persona por el simple hecho de que físicamente se me antojaba demasiado atractiva y a mi modo de ver eso descalificaba sus posibilidades de ser algo más que una mera apariencia.

A la hora de cenar, la zorra no distingue entre un pavo real y una gallina desplumada.

Debo admitir que Bruno Villarreal era un hombre muy atractivo a los ojos de las mujeres, e incluso de muchos hombres, que lo admiraban sin reparos. Era sencillo, simpático y a todas luces encantador, pero yo, que por mi aspecto era todo lo contrario, rechacé automáticamente cualquier posibilidad de que pudiera ser, al mismo tiempo, una persona inteligente y dotada de una mente creativa de excepcionales cualidades.

Recuerdo especialmente una frase suya que me hacía reír aunque no tenía el menor motivo para compartir dicha opinión:

«Las mujeres que se han ido de tu vida, mejor que se hayan ido —decía—. Y las que se han quedado... mejor que se hubieran ido.»

Cuando años más tarde, y a la vista de que se había convertido con toda justicia en uno de los abogados más brillantes, decentes y respetados del país, comprendí hasta qué punto me había equivocado al considerarle un simple «niño bonito» incapaz de hacer algo más que llevarse mujeres a la cama con pasmosa facilidad, me vi obligado a aceptar que en el fondo me había comportado como todos aquellos a los que acusaba de no ser capaces de ver más allá de una simple fachada.

El profundo rechazo que me producía su innegable belleza debe de ser, en cierto modo, semejante al rechazo que produce en la mayoría de las personas mi innegable fealdad.

Y supongo que, además, a ello se unía la envidia.

De eso yo sé mucho.

De hecho se me puede considerar una auténtica autoridad en la materia.

De niño sentía envidia de los niños que tenían madre.

De muchacho sentía envidia de los muchachos que podían correr y valerse de sus dos manos y sus dos piernas.

De hombre sentía envidia de quienes, como Bruno Villarreal, eran capaces de seducir a una mujer con una simple sonrisa.

E, incluso ahora, siento envidia de cualquier ser humano, por obtuso que pueda parecer, que tenga esposa e hijos.

¿Con qué derecho puedo juzgar por tanto a todos aquellos a los que me limité a envidiar y que no supieron apreciar las virtudes de las que, con razón o sin ella, me consideraba poseedor?

Es triste reconocer que la envidia ha sido el eje en torno al que ha girado mi vida, como si en lugar de un ser humano hubiera sido una mula atada a una noria que recorre una y otra vez el mismo sendero; pero si este es el momento que he elegido para contar toda la verdad sobre mí mismo, no puedo ni debo ocultar una realidad incuestionable, por más que considere que, dadas mis especiales circunstancias, estaba más que justificada.

—¿Qué opinas?

Leonor Salazar tardó en responder, absorta como estaba en sus pensamientos mientras alineaba con exquisito cuidado una docena de copas en la pequeña estantería; tras dudar unos instantes se quedó con dos de ellas en la mano y fue a llenarlas con el contenido de una elegante botella de coñac francés.

—¿Sobre…? —preguntó mientras le ofrecía una de las copas a su marido, que fumaba un delgado habano tumbado en un viejo sofá de cuero, con los pies apoyados sobre una mesa auxiliar repleta de marcos de plata con fotografías de ambos en los más diversos y exóticos lugares del planeta.

—Sobre nuestros amados «sabios», naturalmente —señaló él—. ¿Crees que hemos logrado convencerlos?

—A Soledad y a la vieja Montagut, desde luego —admitió su esposa—. Y supongo que a Dionisio Amorós y a Sebastián, también. Pero me temo que el cura y el judío continuarán mostrándose escépticos aun cuando en el fondo reconozcan que tenemos razón.

—¿Únicamente por motivos religiosos, o supones que puede existir alguna otra causa?

Leonor fue a tomar asiento a su lado, encendió un cigarrillo y, tras paladear con delectación un pequeño sorbo de coñac, aventuró un dubitativo ademán de cabeza.

—Cualquiera sabe, aunque por desgracia los motivos religiosos casi siempre han sido los que han determinado el comportamiento humano a la hora de plantearse nuevos retos científicos o grandes cambios sociales. De hecho, es evidente que entre los sacerdotes ha existido siempre una gran cantidad de homosexuales, pero aun así la Iglesia continúa oponiéndose a que se les conceda el derecho a casarse o a adoptar niños.

—No es un ejemplo que me valga.

—Pero a mí sí. El padre Anselmo está lo suficientemente preparado para admitir que las pruebas que le hemos dado bastan y sobran para demostrar que se puede crear vida partiendo de elementos químicos, pero pese a ello nunca lo admitirá porque hacerlo sería tanto como reconocer que sus votos de pobreza, obediencia y castidad ni le han servido ni le servirán de nada, puesto que a la hora de su muerte nadie le recompensará por haberse sacrificado. Habrá muerto y punto.

—¿Pretendes decir con eso que a pesar de que tú y yo sabemos perfectamente que estamos obrando mal, no nos van a castigar por ello?

—Puede que en esta vida nos castiguen, pero en la otra no, puesto que evidentemente no existe. Desapareceremos tal como desaparecen esos elementales microorganismos en cuanto alteramos apenas sus precarias condiciones de vida.

—No me gusta la idea de pasar a ser nada de nada —señaló casi con un gruñido Damián Ojeda al tiempo que intentaba hacer un aro con el humo de su habano—. A veces creo que nunca debimos meternos en este lío, pero evidentemente era la única opción que nos quedaba. O nos arriesgamos a que nos crucifiquen o vendemos la casa y aceptamos cualquier miserable trabajo. Y a nuestra edad los trabajos escasean.

—Soledad me ha insinuado que podríamos asociarnos con ella para explotar la patente.

—¿Patente? —se sorprendió él—. ¿Qué patente? Dudo que el origen de la vida se pueda patentar, y estoy convencido de que en cuanto desveláramos cuáles son los componentes exactos de esa fórmula no podríamos reclamar ningún tipo de beneficios sobre sus futuras aplicaciones.

—Soledad cree que sí.

—Conozco a Soledad Miranda lo suficiente como para saber que ni está capacitada ni dispone de los medios necesarios para llevar adelante una empresa de semejante envergadura. Y tú también. Creo que cometimos un error al incluirla en el grupo.

—¿A quién recurrimos entonces?

—A algún laboratorio verdaderamente «grande» que considere que son más los beneficios que la fórmula puede aportar al prestigio de su marca, que unas posibles aplicaciones futuras que, si quieres que te sea sincero, nunca he tenido demasiado claras.

—¿Y eso?

—Creo que lo que realmente importa a los seres humanos no es saber por qué vivimos, sino por qué razón morimos. Esa otra fórmula sí nos habría hecho inmensamente ricos.

—Tal vez haber descubierto la razón por la que vivimos, acabe por llevarnos a descubrir la razón por la que morimos.

—Conocer el principio de un camino no trae consigo conocer el final —sentenció Damián Ojeda, seguro de lo que decía—. De la misma forma que se ha encontrado la razón de su origen casi por pura casualidad, se puede encontrar la razón de su final también por azar. Pero tal vez dentro de treinta o cuarenta años.

—Me sorprende tu actual pesimismo —señaló, en cierto modo inquieta, Leonor Salazar—. El otro día me dio la impresión de que estabas convencido de que debíamos seguir adelante pasara lo que pasara.

—Lo estaba y lo sigo estando porque te repito que es la única salida que nos queda, pero tengo la sensación de que haber convocado a esos seis no ha sido una buena idea. —Se volvió, miró de frente a su esposa y preguntó—: ¿Qué nos han aportado de positivo?

—La constatación de que la fórmula es válida.

—Eso lo supimos siempre, y por mi parte no necesito que Irene Montagut o Dionisio Amorós me confirmen lo que he visto con mis propios ojos. La primera vez que miré por un microscopio y pude comprobar que A no tenía vida y B tampoco, pero que cuando se juntaban A y B nacía una forma de vida, acepté una realidad que va más allá de cualquier teoría y cualquier opinión externa.

—Sin embargo se diría que ahora albergas dudas.

—No sobre la realidad de los hechos —puntualizó él en tono de absoluta firmeza—. Albergo dudas sobre la honradez de lo que estamos haciendo, y lo peor de todo es que estas últimas noches me han asaltado angustiosos presentimientos.

—¿Qué clase de presentimientos? —se alarmó Leonor Salazar.

—¡Querida mía…! —replicó con una leve sonrisa su marido al tiempo que le pasaba el brazo sobre los hombros con el fin de atraerla hacia sí—. Los presentimientos no son de una clase u otra; tan solo son eso: presentimientos. Si supiéramos a qué atribuirlos, lo que tendríamos sería la certeza de que unos determinados hechos van a desembocar en unos acontecimientos más o menos lógicos.

—¿Acaso temes que pueda volver?

—¿Quién…? ¿Él…? —Damián Ojeda se puso en pie, se aproximó a una chimenea que jamás había sido encendida y, tras hacer un leve gesto con la cabeza hacia una de las fotografías que descansaba sobre la repisa, negó, convencido—: ¡No! En absoluto; él nunca volverá. El peligro, si en verdad existe ese peligro, porque tal vez todo se deba simplemente a que estoy algo nervioso, no llegará por ese lado.

—Entonces, ¿por dónde?

—¡No lo sé! Tal vez por parte de cualquiera de esos seis que ahora saben casi tanto como nosotros sobre el tubo volcánico y el origen de la vida.

—No tengo la impresión de que ninguno de ellos pueda constituir una amenaza —señaló Leonor Salazar, que parecía un tanto desasosegada por la desconcertante actitud de su marido—. No son más que unos simples e inofensivos científicos. ¿Qué daño podrían causarnos?

—No lo sé, pero soy de la opinión de que el mayor daño llega siempre de donde menos esperas, porque contra el otro sueles estar prevenido. —Se encogió de hombros intentando mostrar indiferencia y añadió—: Aunque en realidad ¿qué pueden hacernos? ¿Desacreditarnos científicamente…? En estos momentos nuestro crédito científico es nulo. ¿Arruinarnos…? Ya estamos al borde de la ruina. ¿Matarnos…? Lo dudo. ¿Qué sacarían con ello?

Crecí entre libros y entre ideas, intenté no odiar, aunque repito que envidiaba a quienes me despreciaban, y viví largos años con la vana esperanza de que el esfuerzo, la honradez, la bondad y la solidaridad me llevarían a relacionarme con personas solidarias, honradas y bondadosas que verían en mí algo más que mis pobres defectos.

¡Qué ilusos llegamos a ser los hombres cuando soñamos despiertos!

¡Cómo nos esforzamos por tergiversar una realidad que no obstante vuelve una y otra vez con desalentadora machaconería, empeñada en mostrarnos su amarga crudeza!

«Mi circunstancia» es tener una pierna mucho más corta que la otra, una mano que semeja un garfio y la boca bastante torcida, por lo que hace mucho tiempo que llegué a la conclusión de que todos mis esfuerzos por que se me considere un hombre normal chocarían siempre con tan innegables y muy visibles «circunstancias».

Existe una palabra que aborrezco más que cualquier otra: «integración», pues viene a significar que, a todos aquellos que somos excluidos por alguna razón determinada, se nos ofrece la oportunidad de entrar a formar parte del resto de la sociedad. Cientos de personas me han hablado, incluso con evidente buena voluntad, de la posibilidad de «integrarme», lo cual quiere decir que en principio me consideraban desplazado.

Quien tenga dos piernas y dos manos iguales y la boca en su sitio nunca podrá hacerse una idea de cuáles fueron mis sentimientos en el momento en que me convertí en un hombre y comprendí que al igual que nunca me habían permitido participar de los juegos de los niños, ahora tampoco me permitirían participar de los juegos de los adultos.

Mi papel continuaría limitándose a observar.

En la universidad conocí a muchachas inteligentes y encantadoras que me brindaron su amistad y con las que compartí largas horas de charla, infinidad de apuntes, e incluso alguna que otra confidencia. Algunas de ellas aún me felicitan en Navidades o me invitan a que nos reunamos en el aniversario de nuestra graduación, pero en aquellos tiempos, siempre, indefectiblemente, al caer la noche se limitaban a lanzarme un beso antes de marcharse con alguien que, tal vez, en lo único en que se diferenciaba de mí era en que tenía dos piernas de idéntico tamaño.

Yo arrastraba entonces mi «pata tonta» por la avenida hasta la boca del metro, soportaba las embestidas de quienes corrían sin reparar en que les precedía un tullido y, tras recorrer ocho manzanas bajo la lluvia o el frío, acababa tumbándome extenuado, en un sucio jergón de una pensión de mala muerte.

Allí me olía las manos, que a menudo conservaban el perfume de aquellas con quienes había pasado todo un día, y me preguntaba qué ocurriría si alguna de ellas aceptara pasar conmigo una noche.

Me hubiera conformado con cualquiera, la menos agraciada, aquella a la que Bruno Villarreal jamás hubiera dedicado ni tan siquiera una mirada, las sobras de la más miserable de las mesas, y no para acostarme con ella, sino tan solo para abrigar la certeza de que no había salido de su vida y su mente en el momento mismo de abandonar el aula.

Es amargo tener la certeza de que nadie repara en ti, pero más amargo es saber que nadie te dedica un solo pensamiento.

Es tanto como «no ser».

Los cuatro hombres y las dos mujeres estaban sentados en torno a una amplia mesa en el rincón más alejado del lujoso restaurante del hotel, cuyas ventanas se abrían a una ancha playa de aguas muy limpias. Resultaba evidente que se encontraban inmersos en una animada y hasta cierto punto acalorada discusión, aunque procuraban en todo momento que ni los camareros ni los clientes que iban y venían sirviéndose el desayuno alcanzaran a escuchar sus palabras.

Continuaron así, inmersos en una conversación que parecía preocuparles de modo harto evidente, hasta que advirtieron que un hombre de mediana edad y que mostraba una reluciente calva, y parecía profundamente cansado, tomaba asiento en una de las sillas que se encontraban libres, y sin tan siquiera pedir permiso se servía una generosa taza de café al tiempo que mascullaba:

—¡Buenos días! Me llamo Antonio Lombardero y quiero suponer que están ustedes esperando a los Ojeda.

Aguardó una respuesta, pero como resultó evidente que no la obtendría, puesto que los allí reunidos se mostraban molestos y desconcertados por tan brusca y a todas luces poco educada irrupción, añadió en el mismo tono de fatiga y hastío:

—No van a venir.

—¿Y eso?

—Han muerto.

—¡Dios santo!

—¡Qué horror!

—¡No es posible!

—Lo es… —señaló el recién llegado, que parecía estar atento a las reacciones de cada uno de los presentes—. Al presentarse esta mañana en la casa, su asistenta se los encontró en la cama… —Hizo una breve pausa, un tanto dramática, y concluyó al poco—: Degollados.

—¿Asesinados?

—Evidentemente, puesto que el cuchillo no aparece y, que yo sepa, nadie se corta el cuello de oreja a oreja y se entretiene luego en ocultar el arma.

—¿Es usted policía? —quiso saber Soledad Miranda, aunque de inmediato pareció reparar en la estupidez de la pregunta para añadir en tono avergonzado—: Sí, claro, supongo que debe de serlo. Cuando aparecen dos personas degolladas se avisa a la policía, no a los bomberos.

—¡Muy aguda! —admitió el calvo, en tono casi burlón—. Efectivamente soy el jefe de policía de Lanzarote y por lo que me han comentado, durante estos tres últimos días han estado ustedes reunidos a todas horas con las víctimas.

—Así es… —admitió con su voz de trueno Irene Montagut, que había comenzado a sudar a chorros, cosa nada rara en ella—. ¿Acaso nos considera sospechosos?

—A primera vista todo el mundo es sospechoso, por lo que les ruego que de momento no abandonen Lanzarote —admitió con cierto descaro el policía—. Tengo el oscuro presentimiento de que este asunto va a resultar bastante complicado. —Les observó uno por uno al tiempo que ensayaba una tímida sonrisa—. ¿Se puede saber de qué hablaron durante todo ese tiempo? —inquirió.

—Del origen de la vida.

—¡Vaya por Dios! —no pudo evitar exclamar, fatigado, Antonio Lombardero—. Cualquiera diría que hablaron más bien del origen de la muerte. ¿Suponen que estoy en condiciones de entender el significado de tan sorprendente término?

Sus compañeros de mesa se consultaron con la mirada; estaba claro que la mayoría de ellos aún no habían tenido tiempo de reponerse de la brutal impresión que les había producido la macabra noticia de la desaparición de una pareja perfectamente sana y animosa con la que habían estado reunidos hasta la noche anterior.

Al fin, el hombre de los ojos muy verdes, David Benegas, se decidió a intervenir en representación de todos.

—Prometimos a los Ojeda no hablar con nadie que fuera ajeno a este asunto —puntualizó—. Pero vistas las circunstancias supongo que es nuestro deber romper esa promesa.

—Le aseguro que a ellos no va a importarles —observó quien aguardaba una posible aclaración.

—¡No! Imagino que no. Sobre todo si cuanto le contemos contribuye a encontrar a los asesinos.

—¿Qué le hace suponer que fue más de uno?

David Benegas pareció desconcertarse, pero acabó por encogerse de hombros al tiempo que alzaba las manos como si pretendiera demostrar su inocencia.

—Nada en especial —musitó—. ¿Acaso fue más de uno?

—No tengo ni idea. Pero dejemos eso y vayamos a lo que importa. ¿A qué se refieren al hablar del origen de la vida?

—A que Damián y Leonor Ojeda intentaban hacernos creer, y de hecho consiguieron convencer a algunos de nosotros, de que acababan de descubrir el auténtico origen de la vida en este planeta.

El sorprendido comisario apuró su taza de café, la dejó sobre el plato y se inclinó para observar aún más de cerca a Sebastián Carrière Beson, que era quien había hecho uso de la palabra adelantándose en esta ocasión a su compañero.

—¿Me está tomando el poco pelo que me queda? —inquirió como si en realidad estuviera ofendido.

—¿Acaso imagina que me apetece que me encierre? —fue la seca respuesta, aunque dejaba entrever un leve tono humorístico—. Los Ojeda nos invitaron a venir a Lanzarote, con los gastos pagados durante todo el tiempo que consideráramos necesario, porque querían conocer nuestra opinión de expertos en lo que ellos consideraban un fantástico hallazgo científico de incalculables proporciones.

—¿Qué clase de hallazgo?

—El de que una combinación de diferentes productos químicos, a una temperatura y en unas condiciones determinadas de humedad y densidad del aire, daban como resultado la creación de unos microorganismos que con el tiempo, millones de años se entiende, podrían evolucionar hasta convertirse en árboles o incluso seres humanos.

—¿Y pretende hacerme creer que alguno de ustedes aceptó semejante teoría? —refunfuñó, cada vez más estupefacto, el policía.

—No es que la aceptáramos… —intervino la voz de trueno de la mujer del desproporcionado mentón—. Nos la han demostrado de un modo irrefutable.

—¡Anda ya!

—¡Escuche, señor...! —le espetó su interlocutora sin el menor miramiento, puesto que se trataba de una mujer de notable carácter—. Puede que sepa usted mucho de asesinos, pero yo empecé a trabajar en un laboratorio antes de que su madre tuviera intención de traerle al mundo, y en ese terreno nadie me da gato por liebre. Para mí tan solo existen dos cosas incomprensibles sobre la faz del planeta: la teoría de la relatividad de Einstein, y por qué razón se ahorra energía cuando se cambia el horario en primavera y otoño. El resto lo entiendo, sobre todo si se trata de química, y en mi opinión las pruebas que aportan las anotaciones y lo que he podido observar a través de los microscopios son indiscutibles.

El llamado Antonio Lombardero se sirvió otra taza de café, como si lo que en verdad estuviera concediéndose fuera un tiempo para encontrar la forma de ocultar su desconcierto, y con la jarra aún en la mano miró en derredor con la evidente intención de escudriñar la expresión de cuantos se sentaban en torno a la mesa.

Al fin, tras lanzar lo que parecía un gruñido, preguntó:

—¿Todos opinan igual?

—¡Más o menos!

—¡Yo no! —el padre Arriaga, silencioso como de costumbre, había alzado el dedo intentando dar más énfasis a su desacuerdo, y puntualizó—: Un microscopio puede decir lo que quiera, incluso cantar misa si le apetece, pero no va a convencerme de que mi alma está hecha de calcio e hidrógeno, o de tres partes de fósforo y dos de oxígeno.

—Entiendo.

—¿Seguro que lo entiende?

—¡En absoluto! —admitió el jefe de policía de la isla de Lanzarote con encomiable sinceridad—. Si quieren que les diga la verdad, cada vez estoy más confundido. ¿Qué diablos significa todo eso del calcio, el fósforo, el hidrógeno o el oxígeno? ¿Acaso se trata de fabricar una bomba?

Media hora más tarde, cuando entre todos le habían puesto al corriente, quitándose la palabra los unos a los otros, de cuanto se había dicho y hecho durante aquellos días, el anonadado Antonio Lombardero se rascó una y otra vez la reluciente calva y acabó moviendo la cabeza de un lado a otro, como si intentara negar toda evidencia.

—¡Anda carallo! —masculló al fin—. Esto es lo más absurdo que he oído en veinte años de oficio. El origen de la vida. ¡Y yo con estos pelos! O más bien con esta calva. —Alzó lo que parecía una mirada suplicante y preguntó—: ¿Qué creen que van a decir en Madrid si les mando un informe contando lo que me han dicho?

—Que está loco.

—O borracho.

—Eso último es lo que me preocupa, porque les consta que aunque de tanto en tanto me echo unos tragos por lo demás soy un tipo bastante equilibrado; creerán que se me ha ido la mano con la botella —observó una vez más, al tiempo que negaba porfiadamente y preguntó—: ¿Se dan cuenta de que estamos hablando de algo que pone patas arriba todos nuestros conceptos de ética y moral, e incluso diría que los principios básicos de nuestra civilización?

—¿Acaso cree que somos tontos? Cuando usted llegó estábamos comentando, al igual que según nos confesó le ocurría a la pobre Leonor Salazar, que la mayoría de nosotros no ha pegado ojo durante estas últimas noches dándole vueltas al tema —señaló, evidentemente ofendida la aún atractiva y siempre elegante Soledad Miranda—. A todos nos preocupa esta cuestión, aunque admito que quizá a cada uno de nosotros de un modo distinto.

—¿Y eso?

—Porque somos conscientes de que si este descubrimiento se hace público se resquebrajarán los cimientos de cinco mil años de civilización. ¿Quién está dispuesto a admitir que, pese a todo lo que le han hecho creer a lo largo de su vida, en realidad no es más que un simple compuesto químico?

—Según tengo entendido, ya admitimos que somos casi un sesenta por ciento de agua… —observó Antonio Lombardero.

—Pero con alma.

—¿Y qué diferencia hay entre agua con alma, o agua con hierro, calcio y fósforo? —inquirió el policía—. Aunque ese no es un tema que me preocupe en estos momentos; lo que en verdad me preocupa es saber si alguno de quienes no podían dormir anoche decidió dar un paseo hasta casa de los Ojeda con el fin de liquidar de una vez por todas el problema. ¡Muerto el perro se acabó la rabia!

—Pero ¿qué majaderías está diciendo? —gruñó la mujerona de la voz de ultratumba, a la que le había asaltado de improviso un violento ataque de tos—. ¿De verdad se le ha pasado por la cabeza sospechar de nosotros?

El calvo se tomó un tiempo para responder; en parte aguardando a que se le pasara la tos, y en parte dedicándolo a extraer de un paquete un cigarrillo con el que jugueteó sin decidirse a encenderlo.

Por fin, señaló:

—Permítame que le diga algo, señora; los Ojeda han vivido casi once años en Lanzarote sin que nadie les haya molestado, y aquí no suelen darse casos de ese tipo de violencia porque es una isla en la que todo el mundo se conoce. El asesino, o asesinos, no robaron nada, y a ella no la violaron. Sin embargo, de pronto aparecen ustedes, de quienes no tengo referencia alguna, aunque confío en tenerla pronto; se pasan tres días tratando con ellos extraños asuntos cuya profundidad se me escapa y la pasada noche alguien les corta el cuello. ¿Acaso pretende que no cumpla con mi deber, que es el de sospechar en primer lugar de los más sospechosos?

—En eso tiene razón… —admitió el padre Arriaga al tiempo que se apoderaba del paquete de cigarrillos, extraía uno y pedía fuego con un significativo gesto de los dedos—. Pero una cosa muy diferente es que imagine que tenemos algún móvil que justifique una acción tan horrible.

—¿Le parece poco móvil que aquello en lo que siempre ha creído se ponga en serias dudas, y que la Iglesia, a la que ha consagrado la mayor parte de su vida, se vea en la tesitura de tener que negar la evidencia o aceptar que al Creador nunca le preocupó que siguiéramos siendo un pedazo de roca o llegáramos a tener uso de razón?

—¿Me está acusando? —se sorprendió el sacerdote.

—¡En absoluto! Lo único que pretendo es hacerle comprender que incluso usted, un hombre de Dios, puede tener un móvil, precisamente porque es un hombre de Dios. Por mucho menos la Iglesia ha torturado o quemado en la hoguera a millones de herejes.

—¡Ya no!

—Tal vez se deba a que jamás se había enfrentado a una herejía tan aberrante. Y además, como aquí asegura la señora, demostrada de una forma absolutamente irrefutable.

—Ya le he dicho que yo no creo en esa demostración.

—¡Pero al parecer algunos de sus compañeros, sí! Y la mayoría son expertos en unos temas de los que supongo que usted lo ignora casi todo. ¿Qué ocurriría si el día de mañana millones de científicos decidieran respaldar tan descabellada, y a mi modo de ver, nefasta teoría?

—Que sobrevendría el caos… —intervino, seguro de lo que decía, Dionisio Amorós, a quien el nerviosismo hacía que su ya por lo general alborotada cabellera se despeinara todavía más—. La indiscutible evidencia de que somos fruto de la casualidad, y que por lo tanto no tenemos la posibilidad de que exista un más allá en el que se nos castigue o recompense por nuestros actos, acabaría por desquiciar a una sociedad ya de por sí bastante desquiciada.

—¿Y usted se limitaría a cruzarse de brazos a sabiendas de que eso iba a ocurrir, o llegaría a la conclusión de que su obligación es proteger a la humanidad aun a costa de acallar su conciencia con el lógico argumento de que más vale dos muertos que millones de ellos?

—¿Qué pretende insinuar?

—Que tal vez alguno de ustedes opine que la preservación del bien común también es un móvil lo suficientemente válido como para mandar al infierno a unos insensatos que no supieron calcular los inmensos peligros que podían traer aparejados sus aberrantes experimentos. —El calvo se encogió de hombros y añadió—: Al fin y al cabo ellos se lo habían buscado.

—¿Y es un policía quien dice eso?

—¡No! No es un policía; es un padre que se ha esforzado en educar a sus hijos según unas estrictas normas de conducta y al que de pronto le cuentan que han aparecido un par de iluminados que demuestran que no vale la pena ese esfuerzo porque no somos más que un montón de agua con bicarbonato. —Antonio Lombardero afirmó una y otra vez con la cabeza antes de concluir muy seriamente—: ¡Incluso tal vez yo me los hubiera cargado sin experimentar el menor remordimiento! —Se rascó una y otra vez la calva como si pretendiera hacer salir al exterior las ideas, y por último preguntó—: ¿Y dónde diablos dicen que se esconde ese misterioso tubo volcánico que según parece oculta el origen de la vida?

—¿Y cómo quiere que lo sepamos? —fue la en cierto modo lógica respuesta—. Los Ojeda se llevaron el secreto a la tumba.

—Pero ¿no les comentaron cómo habían dado con él?

—¡Eso sí! —admitió de inmediato David Benegas—. Recuerdo que aseguraron que había permanecido años oculto hasta que una excavadora lo rompió al abrir una carretera cerca de un volcán.

—El volcán de la Corona, creo que dijeron —añadió el sacerdote.

—El volcán de la Corona… —repitió como un eco Antonio Lombardero—. Eso queda al norte de la isla. Por lo menos es un punto de partida, aunque no tengo muy claro de qué me puede servir para descubrir quién diablos mató a ese par de inconscientes.

Fui el primero de mi clase en todos los cursos de las dos carreras que estudié, pero ello no me bastó para acceder a un trabajo digno, puesto que en cuanto me sentaba frente a un jefe de personal este parecía olvidar mi brillante historial académico y solo concentraba su mirada y su pensamiento en mi boca torcida y, sobre todo, en mi maltrecho e impresionante brazo izquierdo.

En cierta ocasión incluso me lo escayolé con la disculpa de que había tenido un accidente, pero de poco me valió pues no hay escayola que resista tres meses, por lo que en cuanto la verdad quedó al descubierto me despidieron alegando que había intentado engañar a la empresa.

Finalmente, me convencí de que mis esperanzas de que ser el mejor en algo haría olvidar mis claras limitaciones resultaban inútiles y acepté la evidencia de que mi vida se limitaría a subsistir mientras me dedicaba a observar cómo eran otros los que disfrutaban de todo lo bueno que esa vida podía proporcionar.

Me convertí en un cliente asiduo de las peores prostitutas de la Casa de Campo, que me arreglaban el cuerpo con una faena de aliño en el interior del coche, y de una triste, sucia y solitaria taberna de la esquina de mi casa, que malamente hubiera conseguido sobrevivir sin mi no demasiado generosa aportación diaria.

A punto estuve de caer en la trampa de las drogas; fue precisamente eso lo que me hizo comprender que no había nada peor que la soledad en una gran ciudad, en la que cada día se pasa por la triste humillación de tropezar con miles de personas para las que ni siquiera existes.

Poseía un teléfono al que le habrían salido telarañas a no ser por las llamadas de gangosas señoritas que me proponían cambiar de compañía, con lo que se suponía que me ahorraría mucho dinero cuando en realidad no gastaba ni la tarifa mínima, y un televisor que en lugar de alegrarme la existencia contribuía a mostrarme la magnitud de mi desdicha.

A mi modo de ver, la televisión ha contribuido de modo harto notable a acentuar la sensación de infelicidad de muchos infelices, puesto que aunque es cierto que los distrae de su apática existencia diaria, no lo es menos que les obliga a comprender, por simple comparación, la incuestionable evidencia de su ofensiva pequeñez.

Antes de la aparición de «la caja tonta», cada cual vivía

aislado en su propio mundo, resignado a su destino y quizá convencido de que aquello era cuanto había y no cabía esperar nada más; pero el simple hecho de conectar el aparato y asistir en primera fila al derroche de lujo y a las agitada vida de quienes habitualmente ocupan los espacios mal llamados «del corazón», les transporta con brutal violencia a una «realidad» que poco o nada tiene que ver con la gris y monótona existencia a la que se enfrentan día tras día.

Sus sueños les llevan entonces a imaginar una vida en los grandes hoteles de Hollywood o en los lujosos salones de los palacios de los millonarios, y al tomar plena conciencia de que jamás alcanzarán tales sueños, su desdicha aumenta hasta límites insoportables.

Durante mucho tiempo permanecí hipnotizado por el multicolor y plano reflejo de todo aquello que me constaba que estaría siempre fuera de mi alcance, por lo que me convertí en uno de tantos imbéciles que viven convencidos de que cuanto aparece en el viejo aparato es «la verdad» y cuanto le pertenece a una larga y amarga pesadilla de la que más tarde o más temprano acabará por despertar.

No obstante, lo cierto es que la «falsa verdad» desaparecía en cuanto pulsaba una tecla del mando a distancia, y esa amarga pesadilla se mostraba entonces con toda su crudeza, pues era algo más que evidente, y de lo que no podía evadirme por más que lo intentara.

Me convertí en un devorador de estupideces; en una auténtica autoridad en el conocimiento de las miserias de una execrable cuadrilla de seres vociferantes y despreciables, y en un compulsivo espectador de cuanto de sucio y rastrero era capaz de imaginar el más sucio y rastrero de los guionistas de la llamada «televisión basura».

Por suerte, ¡infinita suerte la mía!, durante unas cortas vacaciones en Almería descubrí un nuevo mundo que poco tenía que ver con la televisión, y en el que la soledad carecía de importancia, al igual que mi cojera, mi boca torcida o mi maltrecho brazo.

Era un mundo en el que no me veía obligado a arrastrar la pierna enferma, ni a ocultar mis deformidades a los ojos de quien quisiera mirarme, en el que podía competir con cualquiera casi en igualdad de condiciones, y en el que por primera vez me sentía realmente libre porque no estaba clavado en el suelo por un zapato de veinte centímetros de altura.

No fue tarea fácil determinar el lugar exacto en que se ocultaba el tubo volcánico, teniendo en cuenta que una cuarta parte de la isla estaba ocupada por un mar de magma solidificado, pero el hecho de que, según afirmaran en un momento dado los Ojeda, se había descubierto al abrir una nueva carretera en el Malpaís del volcán de la Corona, simplificó las cosas hasta el punto de que al día siguiente, el comisario Lombardero y su fiel ayudante, Alanis Bermejo, una pizpireta y diminuta pelirroja cuya apariencia personal era de cualquier cosa menos de policía, se pudieron adentrar, primero a gatas, y a los pocos metros andando con absoluta naturalidad, en una oscura caverna con todo el aspecto de una tubería de unos tres metros de diámetro, en la que el menor rumor resonaba como si se tratara de un pistoletazo.

—¡Acojona!

—¡Ya lo creo!

Armados con potentes linternas, avanzaron con infinitas precauciones, conscientes de que en cuevas similares de la isla se abrían de pronto abismos en los que más de un osado explorador se había roto una pierna o incluso había topado con la muerte.

Metro a metro la temperatura iba en aumento al tiempo que se enrarecía el aire, por lo que comenzó a invadirles una desagradable sensación de angustia, claustrofobia.

—¿Qué coño se le habrá perdido a nadie en un sitio como este?

—Ahórrate las palabrotas.

—Perdona…

El terreno ascendía de un modo casi imperceptible, las paredes se estrechaban de improviso para abrirse de nuevo, el techo les rozaba la cabeza y el calor les hacía sudar, por lo que tuvieron que hacer un sobrehumano esfuerzo para no dar media vuelta, volver a sus cómodos despachos y dejar semejantes aventuras para los osados espeleólogos que tanto disfrutaban con tales bobadas.

Tanto Antonio Lombardero como su acompañante eran, no obstante, excelentes profesionales, por lo que continuaron a regañadientes, sudando y resoplando hasta que al cabo de unos quince minutos desembocaron en una amplia sala casi circular de unos tres metros de altura y diez de diámetro cerrada al fondo por una pared de lava absolutamente impenetrable.

Y allí, en el suelo, justo ante ellos, se distinguían media docena de charcos o pozas de escasa profundidad repletas de un lodo viscoso que debía de rondar los cincuenta grados de temperatura.

—Saca algunas fotos —ordenó el comisario.

—Como quieras, pero no veo nada que fotografiar.

Permanecieron allí durante poco más de media hora y comprobaron que sobre una de las pozas colgaba en efecto una larga estalactita en cuya punta se estaba formando una minúscula gota de un líquido verdoso, por lo que llegaron a la conclusión de que aquel era el charco en el que debían de encontrarse los ya famosos microorganismos, aunque resultaba evidente que, a simple vista, el desolado lugar no daba mucho más de sí.

—Ocúpate de que los del laboratorio se lleven muestras de todo esto y lo analicen. Y que intenten encontrar alguna huella.

—¿Sobre la lava? —se asombró la muchacha.

—¡Nunca se sabe!

De nuevo en el exterior, tomaron asiento en una roca, contemplaron el agreste paisaje más propio de la Luna o de Marte que de un rincón civilizado de la Tierra, y dejaron pasar un largo rato disfrutando del sol, la luz y el aire libre antes de decidirse a hablar como si necesitaran de ese tiempo para recuperarse de la ansiedad que les había producido permanecer encerrados en aquella especie de tenebroso horno claustrofóbico.

—¿Qué diablos buscaban los Ojeda en este lugar? —masculló al fin la atribulada Alanis Bermejo, que parecía bastante confundida por cuanto había visto.

—Complicarnos la vida —le replicó con acritud su acompañante—. Y sobre todo, complicársela ellos.

—¿Tienes alguna idea, por pequeña que sea, de quién puede haberlos matado?

—Tengo seis ideas… —fue la desangelada respuesta—. Y todas pequeñas, por lo que no estoy convencido de que alguna de ellas puede ser buena.

—¿Sigues opinando que ha debido de ser uno de los «sabios» que has conocido en el hotel?

—¿Y quién si no? Sería demasiada casualidad que a los tres días de reunirse con ellos, alguien que vive en la isla y que al parecer deseaba su muerte se cuele en su casa a las tres de la mañana y los asesina mientras duermen.

—¿Y el motivo?

—¡Cualquiera sabe! El tal Benegas es judío, y ya se sabe que los judíos son tan fanáticos como pueda serlo el cura más obcecado. Y los otros son científicos a los que puede mover la envidia, o tal vez imaginan que, fuera de juego los Ojeda y con los datos que les han proporcionado, pueden ser ellos los que encuentren la dichosa fórmula.

—¿Y qué conseguirían con eso?

—¿Y yo qué sé? Ahora se habla mucho de las células madre, de la clonación y de una serie de investigaciones a las que algunos gobiernos se oponen porque consideran ilegales o inmorales. Sin embargo, si se demostrara que la vida se limita a una sencilla mezcla de productos químicos, tales consideraciones dejarían de tener valor.

—¿Estás seguro de eso?

—¡En absoluto! Hablo por hablar, o por buscar en voz alta respuestas que a solas y en silencio no logro encontrar. Me temo que este asunto nos viene grande, pero nos ha tocado a nosotros resolverlo y por lo menos tenemos que intentarlo.

—¡De acuerdo! —admitió la pelirroja—. Supongamos que el asesino salió del hotel y llegó hasta la casa que está a más de un kilómetro de distancia, sin ser visto… ¿cómo diablos consiguió entrar a esas horas de la noche sin que los Ojeda se dieran cuenta?

—Esa es la pregunta del millón, y la que más me intriga —admitió su jefe—. Aunque cabe dentro de lo posible que durante su última visita hubiera dejado una puerta o una ventana abierta.

—¿Y no podría tratarse de la asistenta?

—¡En absoluto! Los Ojeda eran muy madrugadores, por lo que solían irse a la cama sobre las once. Según el forense los mataron alrededor de las tres de la mañana y a esa hora la asistenta, que además es una pobre infeliz, estaba en su casa de Tinajo, a más de treinta kilómetros de distancia.

—O sea que sigues pensando que se trata de uno de los «sabios».

—¡Y yo qué sé!

Cuando a la mañana siguiente el comisario llamó al hotel donde se hospedaban los «sabios sospechosos», le sorprendió descubrir que habían alquilado un microbús con el fin de visitar la isla y al parecer tenían la intención de detenerse a almorzar en los Jameos del Agua, que no era en realidad más que un gigantesco tubo volcánico que cientos de años atrás se había hundido creando enormes cuevas y dejando en su interior una curiosa laguna de agua muy transparente que se filtraba desde el cercano océano.

El genial artista local, César Manrique, había convertido lo que tiempo atrás no era más que un vertedero en uno de los espacios turísticos más sorprendentes y atractivos de la isla, aunque por desgracia la calidad de su cocina nunca estuvo a la altura del entorno, por lo que el malhumorado Antonio Lombardero no pudo menos que mascullar que podrían haber elegido cualquier otro lugar, no tan hermoso pero más apetitoso, en el que saciar su hambre.

Prefirió por tanto almorzar a solas en una pequeña taberna del pueblo más cercano, Punta Mujeres, y se presentó en el lujoso restaurante en el momento en que el grupo se disponía a tomar café.

—¿Qué tal han comido? —preguntó de inmediato sin poder evitar una burlona sonrisa.

—¡Maravillosamente! —le respondieron casi al unísono—. En el hotel nos advirtieron que antiguamente la cocina de este restaurante tenía fama de ser un desastre, pero hace poco han traído a un cocinero vasco que ha resultado ser un auténtico prodigio.

—¡Vaya por Dios! —se lamentó el recién llegado—. Últimamente no doy una. Pero vayamos a lo que importa: ¿quién de ustedes puede probar que la noche del crimen se encontraba en el hotel alrededor de las tres de la mañana?

Los seis se miraron, consultándose los unos a los otros; por último, el de más edad, el gordo Dionisio Amorós, respondió por todos:

—Que yo recuerde, y supongo que los demás estarán de acuerdo conmigo, permanecimos charlando hasta muy tarde, pero creo que sobre la una nos retiramos a nuestras habitaciones.

—Entiendo… ¿Alguno de ustedes recuerda haber visto la televisión? ¿Tal vez algún programa o película en especial?

—Yo estuve viendo el telediario de Tele 5.

—Y yo.

—Yo odio la televisión.

—Yo estuve tomando notas.

—No tengo ni la menor idea de lo que hice.

—A mi modo de ver esa ha sido siempre la mejor coartada.

—Yo me di una ducha, me metí en la cama, y estuve leyendo hasta quedarme frita.

—Ya suponía que esas serían las respuestas —admitió el calvo con un leve encogimiento de hombros—. Empiezo a sospechar que, o alguno de ustedes es condenadamente inteligente, o este es el caso más complejo al que me he enfrentado nunca.

—¡Inteligentes lo somos todos, eso puedo asegurárselo! —señaló con una leve sonrisa David Benegas—. Probablemente los mejores en nuestros respectivos campos, pero tal vez le consuele saber que por mucho que lo hemos discutido entre nosotros tampoco encontramos una explicación lógica a un acto tan brutal e insensato. La mayoría somos científicos y por lo tanto nos consta que llega un momento en que las ideas y los descubrimientos están en el aire y más tarde o más temprano alguien acaba por apoderarse de ellos.

—¿Qué quiere decir con eso?

—Que se han dado casos en los que diversos estudiosos han llegado a la misma conclusión, al mismo tiempo y a miles de kilómetros de distancia. ¿Y quién se arriesgaría a asesinar a dos personas por culpa de unos simples microorganismos?

—No creo que se trate de esos microorganismos en sí, sino de lo que realmente significan.

—¿Y qué significan exactamente? —quiso saber con una mal disimulada agresividad Soledad Miranda, que desde el día anterior parecía haberse vuelto desconfiada y en cierto modo esquiva—. En estos momentos un par de robots han demostrado que en Marte hubo agua, por lo que ahora están buscando formas de vida, presente o pasada. ¿Qué ocurrirá si la encuentran? ¿Se destruirán por ello los pilares de todas las culturas y religiones?

—Supongo que no es lo mismo.

—¿Y por qué no? ¿Qué más da la Tierra que Marte? Al fin y al cabo los dos son simples satélites del Sol. Nadie en su sano juicio cree ya en la historia de Adán, Eva, la manzana o el pecado original.

—Ah, ¿no?

—¡Naturalmente que no! Los conceptos de creación y creador van mucho más allá, y estoy de acuerdo con el difunto Damián Ojeda en que lo que en verdad importa es el universo en su conjunto, en el que, por cierto, nosotros no somos más que el último eslabón… Por el momento.

—¿Espera que haya otros?

—¡No! —intervino sin el menor recato Irene Montagut—. Otros no, pero sí la evolución o perfección del actual ser humano, del mismo modo que somos la evolución o perfección de los simios.

—¡De acuerdo! —admitió el policía, que parecía cansado de aquel tipo de discusiones—. ¡Totalmente de acuerdo en lo que ha dicho! Pero ahora acláreme una cuestión: ¿Quién diablos asesinó a los Ojeda, y qué razones tenía para cometer un acto tan salvaje?

—Quién, no lo sé, porque entra dentro de lo posible, aunque no probable, que haya sido uno de nosotros. Pero lo que sí está claro es que la razón debe ser mucho más personal y profunda que una simple discusión sobre las consecuencias de ese descubrimiento. Para cortarle el cuello a dos seres humanos es necesario algo más que disentir; hay que odiar.

—Lo admito —reconoció con innegable humildad el policía—. Para cometer un crimen tan brutal con nocturnidad y alevosía no basta con disentir, pero por más que he indagado en la vida de los Ojeda no encuentro ni a un solo personaje sospechoso. Eran una pareja normal a la que no se le conocían aventuras extramatrimoniales en una pequeña isla en la que todo se sabe. No tienen herederos, y desde luego no estaban implicados en el tráfico de drogas. —El pobre hombre lanzó un hondo suspiro como si aquella fuera una tarea superior a sus fuerzas—. A la vista de semejante panorama, ya me explicarán a qué clavo me agarro.

—¿Pretende decir con eso que nos hemos convertido en su última esperanza de encontrar a un culpable?

—¡No! En la última no, pero sí, tal vez, en la penúltima.

Las reglas del juego habían cambiado porque ya no me sentía un esclavo de la gravedad que arrastra su pierna como los antiguos reos arrastraban una gran bola de hierro que les privaba de su libertad de movimientos, sino que de improviso había pasado a ser una criatura independiente; el agua me permitía desplazarme a mi antojo, yendo y viniendo, subiendo y bajando, o flotando como un corcho al capricho de las olas mientras miríadas de peces de todas las formas y colores cruzaban ante mis fascinados ojos o posaban tranquilos frente al objetivo de mi cámara.

El mundo submarino fue como una bocanada de aire fresco, o como una ventana que se hubiera abierto en una habitación oscura y tétrica, que permitía que el sol, la luz y la alegría penetraran hasta lo más profundo de la estancia, porque inmerso en el mar yo ya no era un hombre tullido sino una de las infinitas criaturas de muy distintas apariencias que pululaban por entre las rocas y los corales.

Quisiera dar un consejo a todos aquellos que, como yo, se sientan tan desesperados que tan solo la muerte les parezca una salida digna a sus desgracias: que se agencien unas gafas y un tubo de goma y se lancen al mar, lo que a veces significa tanto como regresar al tibio y seguro vientre de la madre.

El día que algún lejano ancestro decidió abandonar ese mar para enfrentarse a los mil problemas de la gravedad en tierra firme cometió sin duda el mayor de los errores y por ello, cuando esos errores llegan al límite lo mejor que podemos hacer es regresar al lugar del que provenimos.

En el fondo del mar podía observar, pero al mismo tiempo podía formar parte del juego porque la sensación de ingravidez que te invade cuando te encuentras a veinte metros de profundidad estudiando el comportamiento de un mero o de una anémona tan solo debe de ser comparable a la sensación de volar sin miedo a estrellarte.

Todo cambió en mi vida y fue tan importante el cambio que a los quince días decidí abandonarlo todo con el fin de buscar un lugar tranquilo y solitario en el que cada noche pudiera escuchar la voz del mar y cada mañana acudir a su dulce llamada.

Jamás volví a sentirme tan solo como antaño.

Jamás necesité a un amigo.

Jamás volví a llorar de amargura.

El mar me ofreció, sin pedir nada a cambio, cuanto ningún ser viviente me había proporcionado hasta el momento, y no me avergüenza admitir, sin miedo a parecer ridículo, que por primera vez me sentí en paz conmigo mismo y con cuanto me rodeaba, que adquirió a partir de aquel instante una dimensión muy diferente, puesto que ya no me hostigaba.

Cuando nadaba no notaba apenas la diferencia entre tener dos piernas iguales o una más corta que la otra; bastaba con calzarme una aleta más larga que no me molestaba pese a tener que efectuar un esfuerzo ligeramente superior con la pata tonta.

Además, ello contribuía a fortalecerla, por lo que cuando me encontraba en tierra ya no me costaba tanto levantar el pesado zapato.

Adapté mi equipo de buceo a mis limitaciones; aprendí a cargar el fusil de pesca submarina con mi única mano útil apoyándomelo en el muslo y, cuando deje de fumar, descubrí que la naturaleza, que tan avara se había mostrado siempre conmigo me había proporcionado, no obstante, unos pulmones de excepcional capacidad.

De igual modo el corazón me ha funcionado siempre con sorprendente eficacia, por lo que no puedo por menos que reconocer que si bien mi fachada deja mucho que desear, todo cuanto se refiere a mi «maquinaria interior» compensa tales fallos, porque también es cierto que no recuerdo haber estado nunca enfermo.

Ni un catarro, ni una gripe, ni tan siquiera un simple dolor de cabeza; a ello debo sin duda haber podido vivir tanto tiempo aislado del resto del mundo.

¿Compensa en realidad?

No puedo asegurarlo porque al no saber lo que significa estar enfermo no tengo elementos de comparación que me permitan juzgar con equidad, pero con frecuencia me he preguntado de qué sirve un cuerpo perfecto postrado en una cama.

¡Salud, dinero y amor!

Debo admitir que he sido muy rico en lo primero, mediocre en lo segundo y miserable en lo tercero, pero con demasiada frecuencia he concedido más valor a aquello de lo que carecía, que a aquello que me había sido proporcionado.

Como cualquier mortal.

Ser un tullido sano podría considerarse una especie de contrasentido o una burla de una naturaleza cruel que no puso el menor empeño en equilibrar sus esfuerzos.

En lugar de una mano inútil podría haberme proporcionado una garganta proclive a inflamarse, y en lugar de una pata tonta, un riñón algo menos eficaz.

Y lo que es más importante, en lugar de esta boca torcida y esta cara de acelga, una úlcera de estómago, que al fin y a la postre casi viene a ser lo mismo.

Dos días más tarde, las cosas comenzaron a complicarse aún más, y de forma casi definitiva, con la súbita e inexplicable desaparición de la refinada y cada vez más enigmática Soledad Miranda.

Poco después del mediodía había alquilado un coche y había salido del hotel sin advertírselo a ninguno de sus compañeros de aventura; a la hora de la cena aún no había regresado, y cuantos esfuerzos se hicieron por localizarla resultaron inútiles.

Su teléfono móvil no respondía a las llamadas.

A la mañana siguiente, el comisario Lombardero pidió al director del hotel que le acompañara a revisar su habitación, pero no encontraron nada anormal; su ropa estaba cuidadosamente colgada en el armario, y sus útiles de tocador y todos sus polvos y maquillajes estaban alineados en la repisa del cuarto de baño.

Sus cinco compañeros se mostraban tan confundidos como el propio policía, puesto que no le había hecho a nadie el menor comentario sobre los motivos por los que se ausentaba.

La casa de alquiler proporcionó la matrícula y los datos del vehículo, un Renault verde, de los que había más de un centenar circulando por Lanzarote, y se dio orden a las patrullas de policía de que intentaran localizarlo a cualquier hora del día o de la noche.

La isla no tiene más que setenta kilómetros de largo y poco más de veinte de ancho, sin bosque alguno en el que ocultar un automóvil, pero existen cientos de garajes en casas aisladas y resultaba del todo imposible inspeccionarlas una por una.

Corrieron rumores sobre la posibilidad de que se hubiera cometido un nuevo crimen, por lo que la inquietud se apoderó de los habitantes de una isla que no estaba en absoluto acostumbrada a semejante tipo de acontecimientos.

Quizá por primera vez en mucho tiempo las casas se cerraron a cal y canto, cuando era cosa sabida que los isleños tenían a gala desde siempre dormir con las ventanas abiertas sin el menor riesgo.

Al atardecer del día siguiente encontraron el coche aparcado al borde de una peligrosa y poco transitada carretera de tierra no lejos de las cumbres de Famara.

El cadáver de Soledad Miranda apareció trescientos metros más abajo, con el cuello roto y un altísimo nivel de alcohol en la sangre.

—No puedo aceptar que fuera ella quien asesinó a los Ojeda y acabara suicidándose —dijo al conocer la noticia la marimacho de la voz de ultratumba—. Daba la impresión de ser una mujer muy equilibrada, aunque debo admitir que los últimos días se la notaba algo «rara».

—¿Y por qué se marchó sin decir nada? —le replicó David Benegas—. Pudiera darse el caso que sospechara que la policía estaba a punto de desenmascararla.

—¡No me lo creo! —protestó la mujerona—. Además entra dentro de lo posible que el asesino estuviera esperando a que alguno de nosotros abandonara el hotel con el fin de seguirle y matarlo. Quizá imaginaba que de esa forma se le culparía de la muerte de los Ojeda y se daría el caso por cerrado. Lo mismo pudo tocarle a ella que a cualquier otro.

—Demasiado rebuscado se me antoja —intervino Sebastián Carrière Beson, que parecía realmente impresionado por cuanto había sucedido—. Eso vendría a significar que hemos sido uno de nosotros, o que alguien que vive en el hotel la estaba espiando.

—O que trabaja en él —apostilló Dionisio Amorós al tiempo que se volvía hacia el comisario para inquirir—: ¿Usted qué opina?

El aludido pareció regresar de algún lejano lugar en que se encontraba en aquellos momentos su mente, observó a los presentes como si los viera por primera vez, sin tener muy claro qué era lo que hacían allí, y al fin negó con un leve ademán de cabeza.

—Yo no opino —masculló—. No hasta que tenga toda la información que preciso, y sospecho que aún llevará algún tiempo.

—¿Significa eso que nos obligará a quedarnos en la isla hasta que reúna dicha información? —quiso saber su interlocutor.

—Me temo que sí. Estoy convencido de que ninguno de ustedes pudo matar a los Ojeda, y menos aún a esa infeliz mujer, pero entra dentro de lo posible que alguno tenga un cómplice que actúa desde fuera.

—Suena casi rocambolesco —protestó el padre Arriaga, visiblemente molesto—. ¿A quién de nosotros se le iba a ocurrir viajar hasta Lanzarote con un «cómplice» si resulta evidente que no teníamos ni la más remota idea de para qué nos habían invitado a venir?

—En eso tiene razón.

—¡Y tanto que la tengo! Ni al más loco se le podía pasar por la mente que iba a encontrarse con toda esta absurda e incongruente historia del descubrimiento accidental del origen de la vida en un tubo volcánico.

—Lo comprendo —admitió el calvo Lombardero—. Pero le garantizo que eso es lo único que comprendo de momento, y hasta que no se me aclaren las ideas nadie se va a mover de este hotel sin mi permiso. ¿Alguna duda al respecto?

—¿Cree que corremos peligro?

—¡Y yo qué sé! —replicó una vez más un malhumorado comisario, que parecía superado por una situación que se le había escapado de las manos—. Lo que sí les advierto es que pondré un agente en la puerta de sus habitaciones, controlaré todas sus llamadas, y al que se le ocurra dar un paso sin consultármelo lo encierro. Tres muertos en tres días son demasiados muertos para una isla como Lanzarote. No es habitual.

—¿Y qué es lo habitual según usted?

—Una vida tranquila, algún «camello» de poca monta y, últimamente, una invasión de inmigrantes africanos que llegan en pateras y a los que nos vemos obligados a perseguir por toda la isla. Nada que ver con asesinatos a sangre fría o supuestos suicidios.

—¿Luego admite que a Soledad pudieron asesinarla? —puntualizó, quisquillosa, Irene Montagut.

—¿Y qué quiere que le diga, señora? No soy tan astuto como Hércules Poirot, pero tampoco tan estúpido como el inspector Clouseau, y a mi modo de ver resulta extraño que alguien recorra setenta kilómetros para suicidarse cuando puede cortarse tranquilamente las venas en la bañera.

—¿Y no hay huellas en el coche?

—Docenas. De la víctima, de los empleados de la empresa de alquiler y de todos los turistas que lo han usado durante los tres últimos meses. Me temo que ese es un largo camino que no nos llevará a ninguna parte. —Desconcertado, Antonio Lombardero se pasó la mano por la calva, se la observó como si esperara el milagro de encontrar en ella un cabello y acabó por lanzar un bufido y mascullar—: Las piezas no parecen pertenecer al mismo juego porque los principales sospechosos, es decir ustedes, son foráneos, mientras que quien ha cometido esos crímenes demuestra conocer bien la isla.

—Yo sigo siendo de la opinión de que los Ojeda tenían algún enemigo que los habría asesinado de todas formas —señaló, seguro de lo que decía, el desaliñado Dionisio Amorós—. Nuestra llegada nada tiene que ver con el caso.

—¿Y Soledad Miranda tampoco tiene nada que ver con el caso? —fue la áspera pregunta que hacía las veces de respuesta—. Porque resulta evidente que está muerta. O realmente se suicidó, o el que hizo que así pareciera tiene una mente maquiavélica. —El policía agitó la cabeza de un lado a otro y acabó exclamando, seguro de lo que decía—: ¡Este asunto me queda grande! ¡Puñeteramente grande!

Vendí cuanto tenía, me informé bien de un lugar donde el clima fuera lo suficientemente benigno como para poder pescar y bucear todo el año, y tras meditarlo a fondo me vine aquí, donde acepté un empleo que me permitía tener tiempo libre, aunque tan solo me proporcionaba lo justo para sobrevivir.

Nunca me he arrepentido porque esta isla es, a mi entender, el lugar idóneo para alguien como yo; casi de inme-

diato alquilé, y con el tiempo conseguí comprar, una pequeña casa a menos de veinte metros del mar en la que tan solo un loco se hubiera atrevido a vivir.

Gracias a mi lancha neumática y a mi equipo de buceo disponía siempre de pescado fresco para mí, al tiempo que conseguía algunos ingresos adicionales vendiendo el que sobraba a los restaurantes de las zonas turísticas. Por primera vez desde que tengo uso de razón me sentí feliz conmigo mismo; vivía casi como un anacoreta, prácticamente desnudo la mayor parte del tiempo, pero sin tener que avergonzarme por mis deformidades puesto que nadie venía a contemplarme y a mofarse de ellas como si yo fuera un monstruo de feria.

Yolanda, una muchachita sudamericana a la que los avatares de la vida la han llevado a tener que practicar el oficio más viejo del mundo, pero que pese a ello es bastante honrada, cariñosa y simpática, acudía a visitarme los lunes y los jueves, que solía ser cuando más «flojeaba el trabajo». Solíamos hacer el amor dentro del agua, dado que allí no tengo problemas con la pata tonta e incluso creo que en ocasiones la hacía disfrutar sinceramente.

En realidad no se llama Yolanda; ese es su nombre de guerra, ya que odia el auténtico, Fulgencia, no solo porque le parece poco romántico, sino sobre todo porque le recuerda demasiado el terrible lugar del que proviene.

Cuando una noche le pregunté dónde se encontraba ese aborrecible lugar que tan malos recuerdos le traía se negó a decírmelo, aunque, ante mi insistencia, señaló al fin:

—De un pueblo de orillas del lago Titicaca.

—¿Eso está en Perú?

—Justo en la frontera entre Perú y Bolivia —contestó con un leve gesto de asentimiento—. Mi pueblo, aunque nadie en su sano juicio se atrevería a llamarlo pueblo, no es más que un conjunto de chozas de barro con techo de paja que se desparraman, sin tan siquiera protegerse las unas a las otras, en medio de la nada y por sus callejas, si es que se le puede dar tal nombre al espacio que hay entre las chabolas, corre un viento helado que llega a todas horas, cortando como un cuchillo, desde las nevadas cumbres de la Cordillera Real.

—No lo describes como un lugar muy agradable —observé.

—Es el infierno —señaló, segura de lo que decía—. Un infierno helado, aunque nada lo diferencia de otros muchos poblachos semejantes del altiplano, salvo las vías que lo cruzan y sobre las que cada tarde se detiene un viejo tren, que tres veces por semana se dirige a Puno, y otros tres hace el mismo recorrido en sentido contrario. Los minutos que tardan los pasajeros en subir o bajar constituyen casi la única forma de ganarse la vida en mi pueblo, puesto que ese es el tiempo en que los niños se aproximan y ofrecen hojas de coca, refrescos, ponchos tejidos a mano, gorros de lana con los que protegerse del frío o tortas de maíz.

—¿Tú también lo hacías?

—¡Naturalmente! Justo hasta el momento en que sonaba el silbato, rechinaban los hierros y la máquina lanzaba un resoplido; luego, en cuanto la columna de humo se perdía de vista en la llanura, el silencio se adueñaba otra vez del pueblo. Aquel solía ser el momento más amargo, puesto que cada mañana me despertaba con la ilusión de que ese día conseguiría vender unas papas calientes a algún viajero, pero casi cada tarde me quedaba con ellas en la mano sabiendo que mi padre me pegaría por no haber cumplido con mi obligación.

—Debía de ser una vida muy dura.

—Mucho, porque justo entonces llegaba la hora de recorrer la puna en busca de los excrementos de las llamas, las alpacas y las vicuñas, que una vez secos, constituían el único combustible de que disponíamos; eran momentos difíciles, puesto que me veía obligada a correr de un lado a otro, chapoteando descalza sobre los charcos de agua helada, disputando a otros niños de mi edad, e incluso a algunos mucho mayores, los pequeños montones de mierda que para nosotros constituían casi un tesoro. Tenía que buscar y rebuscar en la penumbra de la tarde, atenta a que no me sorprendiera la noche demasiado alejada de las primeras chozas, puesto que con la llegada de las tinieblas era muy fácil perderse, y con frecuencia la temperatura desciende tan bruscamente que diez minutos a la intemperie bastan para quedarte para siempre con la sonrisa en los labios.

—¿Muerta?

—Y bien muerta. A esa hora los grandes charcos se congelan de improviso, por lo que es fácil resbalar y romperte una pierna, lo que en la noche del altiplano significa el final. Mi primo Huasi acabó así, y a uno de mis hermanos mayores le faltó poco, aunque tuvo la suerte de que otros muchachos que regresaban, ya a oscuras, oyeron sus gritos.

—Nunca imaginé que existiera un lugar tan inhóspito —me vi obligado a reconocer—. ¡Esa no es forma de vivir!

—¿Y por qué crees que me metí a puta? —inquirió con un leve rictus de amargura en los labios—. ¿Acaso piensas que me gusta que me soben y me maltraten? En mi pueblo, de vuelta a casa, con las manos moradas y agarrotadas por el frío, llega el momento de acurrucarte en un rincón, apretujándote contra tus padres o tus hermanos hasta que el calor de sus cuerpos consigue que tus dientes dejen de castañetear. El hambre te atenaza el estómago, el humo de la mierda de llama te obliga a toser y el aire se enrarece, pero al fin el cansancio te vence y te sumerge en un sopor que en cierto modo se asemeja a un auténtico sueño. Luego, con harta frecuencia comienza a llover; cuando lo hace con especial intensidad, el agua se filtra por entre las pajas del techo y te golpea en el rostro. ¡No! —concluyó, convencida—. Quienes hablan de una vida puta, no tienen ni idea de qué es vivir a orillas del Titicaca.

Aquella infeliz criatura, huida de un infierno helado al otro lado del mundo, era la única que en cierto modo me hacía feliz, lo cual da una idea de lo poco que necesita un tullido para sentirse realizado.

Empleando una estúpida frase hecha, «me había encontrado a mí mismo», y ya ni tan siquiera necesitaba recurrir a una botella de coñac en la que ahogar mis penas.

Nada tenía sentido.

Ni la increíble historia del descubrimiento del origen de la vida, ni la presencia de los científicos, teólogos o lo que quiera que fuesen, ni el frío asesinato del matrimonio Ojeda, ni mucho menos el extraño suicidio —si realmente había sido un suicidio— de Soledad Miranda.

Nada tenía sentido, pero allí estaba, y no era polvo que pudiera barrerse bajo la alfombra fingiendo que nunca había existido.

Madrid exigía resultados, no solo por la alarma social que aquellos hechos habían provocado en la isla, sino sobre todo porque la difunta Soledad Miranda pertenecía a una familia de cierta influencia en el mundo político y empresarial.

Parapetado tras la mesa de su despacho, el comisario Antonio Lombardero se hubiera mesado los cabellos en caso de haberlos tenido, mientras contemplaba el gran mapa de Lanzarote que colgaba de la pared y se preguntaba las razones que habían impulsado a aquella infeliz a trasladarse directamente al otro extremo de la isla.

En el contrato de alquiler se especificaba que el coche había sido entregado con 72 kilómetros menos que los que marcaba cuando lo encontraron, y esa era aproximadamente la distancia que separaba el hotel, que se encontraba en el extremo sur de la isla, de los riscos de Famara, en el extremo norte.

¿Por qué había ido tan lejos y tan en línea recta para finalmente acabar en el fondo de un precipicio?

Si Soledad Miranda no había alquilado el vehículo con el fin de hacer turismo y curiosear por una isla que tenía cientos de rincones fascinantes que ofrecer, ¿para qué lo necesitaba?

—Es posible que buscara la cueva… —se dijo al fin, pellizcándose nerviosamente la nariz como si le estuviera exigiendo respuestas—. Tal vez pensó que si conseguía una de las gotas que caen de esa dichosa estalactita también ella podría descubrir el secreto del origen de la vida.

¿Tanto valía semejante secreto?

Era de suponer que sí, puesto que aquella era la respuesta que buscaba la humanidad desde el principio de los tiempos; además, algunas indagaciones que había realizado le habían llevado a la conclusión de que en el mundo había por lo menos media docena de laboratorios dispuestos a pagar por una información de gran impacto publicitario.

Tal vez Soledad Miranda había encontrado el tubo volcánico y tal vez había encontrado allí al guardián del secreto.

Las conclusiones que extraía de todo ello eran a primera vista bastante simples: probablemente alguien más estaba al corriente de las actividades de los Ojeda, por lo que había decidido eliminarlos con el fin de apropiarse de su descubrimiento.

—¡Alanis…! —llamó. Y en cuanto la diminuta, activa y atractiva pelirroja asomó la cabeza por la puerta le ordenó—: Entérate de con quién solían relacionarse los Ojeda.

—¿Y eso?

—Me temo que tal vez hemos estado buscando por el lado equivocado, y es en su entorno, aquí en la isla, donde se encuentra nuestro hombre.

Su ayudante cerró la puerta, tomó asiento frente a su jefe, asintió con un leve ademán de cabeza y señaló:

—También yo he meditado sobre esa posibilidad, pero hay algo que no encaja; si alguien pretendía ser el único en conocer ese secreto, ¿por qué esperó a que un descubrimiento tan trascendental y difícil de ignorar se hiciera público?

—¿Qué quieres decir?

—Que si lo que pretendía era robárselo, le hubiera bastado con acabar con los Ojeda un día antes y largarse con la música a otra parte sin esperar a que se conociera la existencia de algo que ahora va a resultar muy difícil mantener oculto.

—¿Estás aquí para darme ideas o para echar por tierra las pocas que tengo? Lo que dices tendría lógica si todo este asunto la tuviera, pero es evidente que no la tiene.

—En eso estoy de acuerdo, pero lo que intento es ayudar; no cerrar ninguna puerta y analizar cada hipótesis.

—¡Y haces muy bien! Cuatro ojos ven más que dos, y siempre te he considerado una muchacha bastante espabilada.

—Se agradece el cumplido, sobre todo viniendo de quien viene —fue la respuesta, no exenta de un marcado tono burlón.

El comisario Lombardero hizo un leve gesto hacia el mapa que colgaba de la pared al tiempo que admitía:

—¡No hay de qué! Lo que me lleva de cabeza es por qué maldita razón la víctima alquiló un coche sin decírselo a nadie y se dirigió directamente al norte, donde se supone que no se le había perdido nada.

—¿Crees que había algo o alguien allí, aparte de la cueva, que pudiera interesarle?

—¡Ni idea! Y por más vueltas que le doy no encuentro una respuesta que me satisfaga.

—Pues está claro que ella no va a aclarárnoslo; por lo tanto, lo primero que voy a hacer es confeccionar una lista de todos cuantos se hayan relacionado alguna vez con los Ojeda, aunque tan solo sea de saludarlos por la calle.

—Si llevaban más de diez años en la isla será una lista muy larga —observó el calvo—. Aquí todo el mundo se conoce.

—Confiemos en que a alguno de ellos le comentara algo acerca de sus investigaciones sobre el origen de la vida.

—Ya me está hartando esa estúpida historia —refunfuñó, mosqueado, Antonio Lombardero—. Mientras millones de seres humanos mueren de hambre, de sed o de enfermedades incurables, una gente que se supone inteligente y preparada no se preocupa por solucionar ese problema, sino que se dedica a mirar hacia atrás y a malgastar su tiempo y su talento en algo que lo único que consigue es complicar aún más las cosas. ¿A quién coño le importa de dónde venimos? Estamos aquí y punto.

—A mí me importa saber de dónde vengo… —señaló con un leve mohín de la nariz su subordinada—. Aborrezco esa estúpida teoría de que descendemos de los gorilas.

—¿De los gorilas? —replicó el otro lanzándole una burlona mirada de arriba abajo—. Tú, de lo máximo que puedes descender es de un chimpancé. Y bajito. Pero ¿qué más da gorila que chimpancé? Nunca me ha gustado mirar hacia atrás porque considero que si todo el esfuerzo y el dinero que se gasta en hurgar en un pasado ya muerto lo emplearan en mejorar las condiciones de vida de las generaciones venideras, otro gallo nos cantara.

—Si te oyera mi tío te pondría a bajar de un burro, y con toda la razón. Es uno de los arqueólogos de los yacimientos de Atapuerca.

—¿Y a qué conclusiones ha llegado después de pasarse toda una vida desenterrando huesos? ¿Que nuestros antepasados de hace cuatro mil o cinco mil años tenían la frente achatada y eran muy bestias? Para saber eso no hace falta estudiar tanto; sales a la calle, das una vuelta por la plaza, observas a cuantos te rodean y compruebas que continúan siendo igual de brutos, pero pegados a un teléfono móvil.

—En eso puede que tengas razón.

—¡Ya lo creo que la tengo! —masculló el policía, convencido como estaba de sus argumentos—. Se supone que venimos al mundo con la obligación de preservar la especie y proporcionarles una vida mejor a las generaciones futuras, pero lo cierto es que les estamos dejando el planeta hecho un asco. —Hizo un significativo gesto con la mano indicando que saliera del despacho lo más pronto posible y añadió—: Y ahora intenta averiguar con quién se relacionaban los Ojeda y déjame trabajar en paz.

Amaba el mar y el mar me correspondía.

Tanto era así que con harta frecuencia compartíamos nuestro estado de ánimo, exultante o melancólico, tranquilo o brioso, gris o luminoso, como esas parejas tan compenetradas que acaban por parecer una sola persona.

Cada noche me sentaba en la arena a escuchar sus mil voces, y a menudo nadaba en la oscuridad sin miedo a que me hiciera daño.

En esos momentos era como si estuviéramos haciendo el amor y nos entregáramos sinceramente el uno al otro.

Supongo que quien nunca ha flotado boca arriba bajo una luna llena que te ilumina el rostro y te hace creer que estás tumbado sobre un lecho de plata que te susurra al oído dulces palabras no podrá hacerse una idea de lo que se siente en esos momentos de éxtasis.

Recuerdo que una mañana en que por alguna extraña razón me sentía deprimido, aunque creo recordar que se debía a que se me había velado un carrete de fotos, el mar me envió a una familia de delfines para que me levantaran el ánimo.

En otra ocasión se acercó a saludarme de su parte esa hermosa ballena de casi siete metros que, según cuentan, viene cada tres años para tener a su cría frente al faro de isla de Lobos.

Pero lo más importante del caso es que cada día me enseñaba a conocerle mejor, a amarle con más intensidad y a ser capaz de predecir sus cambios de humor, como si se esforzara en advertirme que, por muy afectuoso que pudiera mostrarse la mayor parte del tiempo, no debía olvidar que al fin y al cabo era un gigante que de tanto en tanto se veía obligado a dar muestras de su incuestionable poderío.

Me lo advertía siempre con la debida antelación; incluso, con frecuencia, me mandaba un aviso en forma de una estruendosa ola que chocaba al amanecer contra la enorme roca que se encuentra frente a la casa y lanzaba al aire una columna de espuma, con lo que me hacía saber que ese día no estaba para bromas.

Poco a poco fui ganando en experiencia y perfeccionando mi técnica, por lo que llegó un momento en que empecé a vender a buen precio mis fotografías submarinas, e incluso comencé a escribir un libro que, a decir verdad, no era más que una recopilación de relatos en torno al mar y sus infinitas y prodigiosas leyendas.

Pensaba titularlo Amar el mar.

Nunca lo terminé por una razón evidente: nunca se acaba de amar el mar, y cuanto más se lo conoce, más se lo ama.

Ocurre al contrario que con los seres humanos.

Fue por aquel entonces cuando le conocí.

Era domingo, lo recuerdo muy bien puesto que ese era el único día de la semana en que no trabajaba, por lo que disponía de tiempo suficiente para navegar hasta el lejano y solitario Roque del Este en el que en aquellos tiempos, antes de que lo declararan Reserva Natural, se podía pescar cuanto se quisiera y a menudo conseguía unas fotografías extraordinarias.

Era mediodía y estaba descansando tumbado sobre una roca preguntándome si había llegado el momento de regresar porque me daba la impresión de que de repente iba a presentarse lo que por aquí llaman la «virazón», que es un súbito cambio de viento que encrespa el mar y vuelve el Roque muy peligroso. Entonces apareció por la punta sur tratando de llegar a tierra y de inmediato supe que iba a meterse en problemas dado que aquella es una costa agreste y peligrosa, donde de pronto una ola te sorprende por el costado y te estampa contra las rocas.

Ni siquiera me oyó cuando le grité, ni reparó en mis desesperados gestos que le indicaban que se alejara.

Iba ciego y sordo, casi agarrotado, aferrado al timón como si nada más existiera en este mundo, incapaz de virar en redondo y alejarse mar adentro porque era de esa clase de gente que tan solo se siente a salvo con los pies en tierra.

La barca, una mierda de barca sea dicho de paso, y en la que nadie en su sano juicio se hubiera arriesgado a navegar hasta el Roque, se partió de pronto en dos como un palillo, con lo que el pobre hombre desapareció como por arte de magia.

Me costó Dios y ayuda encontrarle.

Estaba a casi siete metros de profundidad, más muerto que vivo y una vez en tierra, tuve que trabajar muy duro para lograr que escupiera el agua que había tragado y se decidiera a regresar de los infiernos.

Cuando al fin abrió los ojos y se dio cuenta de que seguía con vida se abrazó a mí y comenzó a llorar como un niño.

El mar, que tanto me había dado hasta el momento, me daba, además, un amigo.

Era una gran cosa contar con un amigo.

Muchos no podrán apreciarlo puesto que siempre deben de haberlos tenido, tal como deben tener una familia, pero para alguien como yo, que la mayor parte del tiempo había vivido solo y sin intercambiar ideas más que con algunas compañeras de universidad, con el dueño de la sucia taberna madrileña o con la condescendiente Fulgencia, sentir que alguien te apreciaba no solo porque le hubieras salvado de morir ahogado, sino que también te escuchaba con atención, entendía tus sueños y participaba de tus angustias, significaba un cambio radical que venía a completar la pequeña felicidad que me embargaba desde el día en que me establecí en Lanzarote.

Cierto que nunca conseguí que compartiera mi amor por el mar, al que aborrecía desde el incidente de Roque del Este, y no quiso volver a subirse a una embarcación ni para atravesar el Charco de San Ginés, pero con harta frecuencia acudía a visitarme y pasábamos largas horas charlando o jugando al ajedrez, pese a que casi siempre le ganaba.

Le consolaba diciéndole que me había doctorado cum laude en matemáticas, pero eso no le servía de mucho y recuerdo que cuando en alguna ocasión le dejaba ganar o conseguía derrotarme por sus propios méritos, saltaba y aullaba como un indio borracho.

Le arreglé una pequeña habitación puesto que alguna que otra vez, cuando su mujer estaba de viaje, se quedaba a dormir.

Me gustaba oír cómo roncaba.

Rompía mi soledad.

Tenía un huésped; alguien que, de algún modo y aunque fuera por un pequeño espacio de tiempo, llenaba mi existencia.

No se entiende, ¿verdad?

Admito que no resulta sencillo entender algo tan pueril, pero puedo jurar que despertarme en mitad de la noche y oír el batir del mar o sus ronquidos, me reconciliaba con la vida.

Cada ser humano tiene un espacio reservado en el universo; unos más grande, otros más pequeño, pero aquel que consigue encontrar su espacio y asentarse en él sin aspirar a más ha logrado lo que muchos genios sin rumbo jamás conseguirán: la paz de espíritu.

El conformismo vivido como una derrota puede llegar a ser algo frustrante que envilece a los hombres, pero el conformismo entendido como aceptación de que ese es nuestro destino y debemos asumirlo con entereza no resulta ofensivo.

Siempre me he considerado, y disculpen la inmodestia, mucho más inteligente que la mayoría de la gente, pero, de igual modo, siempre he sido consciente de mis limitaciones; por lo tanto, hasta que no fui capaz de aceptar cuál era mi espacio en el universo —una casita junto al mar, muchos libros, una complaciente muchachita un par de veces por semana y un buen amigo—, no alcancé esa paz de espíritu.

Pese a ello no deben caer en la trampa de confundir paz de espíritu con felicidad; son dos cosas muy distintas, y deben de serlo, puesto que yo sé mucho de la primera pero jamás he sabido nada de la segunda.

Según mi entender, la idea de felicidad está unida a tener una mujer a la que amar y que te ame, y una familia con la que compartir las penas y las alegrías, y eso es algo que a mí nunca me fue dado.

Lo único que me dieron fue el mar y un amigo que odiaba el mar, y eso, supongo que no hace falta que se recalque, no es algo que se aproxime, ni remotamente, a un sentimiento de auténtica felicidad.

De otros sentimientos sí puedo hablar con conocimiento de causa, puesto que me considero un experto en todo lo que sea rencor, resentimiento, miedo, desprecio o deseos de venganza, aunque también he sido capaz de sentir ternura y una profunda compasión hacia aquellos a los que considero incluso más desgraciados que yo mismo.

Saber de su existencia, conocer hasta qué punto la vida había sido injusta con ellos, constituyó una terrible experiencia.

Me había sumergido a gran profundidad persiguiendo a un abadejo y había conseguido arponearle justo a la entrada de su cueva; cuando ascendía tirando de él y alcé la cabeza para comprobar cuánto faltaba hasta la superficie, me lo encontré de frente mirándome con unos enormes ojos dilatados por el terror. Tenía el rostro desencajado por los estertores de la muerte, y la boca muy abierta, como si hasta el último momento hubiera estado intentando que el aire llegara a sus pulmones.

Flotaba entre dos aguas, semidesnudo y descalzo, con los puños apretados, tal vez intentando evitar que la vida se le escapara de entre los dedos y a punto estuve de quedarme a hacerle compañía para siempre aunque lo único que sé es que salí a flote aullando de terror.

Nadé hasta una diminuta ensenada al pie de un acantilado inaccesible, me dejé caer sobre una roca, aún temblando por la terrible impresión que había sufrido, y allí estaban los cinco con la misma expresión de angustia, con los mismos ojos casi fuera de las órbitas, con la misma desesperación en sus famélicos rostros.

Al pie del alto farallón se desparramaban los restos de lo que fue en su día una frágil patera.

¡Dios!

¡Qué lejos estaban de sus desiertos y sus selvas!

¡Qué lejos de sus hogares, sus mujeres y sus hijos!

¡Qué lejos de todo lo que sin duda habían amado!

Cuerpos esqueléticos que habían soportado infinitas calamidades en un viaje infernal para ir a morir a orillas de una perdida isla de un país desconocido que tal vez cuando lo avistaron consideraron, en su inocencia, que aquella era sin duda la tierra prometida.

Muñecos rotos, tan rotos que al verlos así, echados sobre una roca —uno de ellos tenía el espinazo partido en dos—, invitaban a imaginar que formaban parte de un macabro decorado y que en realidad nunca habían corrido, gritado, bailado o amado a una mujer.

No sé por qué extraña razón el cadáver de un desconocido nos obliga a pensar que jamás estuvo dotado de vida.

Pero uno de ellos aún respiraba. Cuando lanzó un leve lamento me aproximé y me miró con los ojos enrojecidos como dos pedazos de carbón incandescente; me apretó la mano con tanta fuerza que comprendí que me estaba pidiendo que le regalara un poco de la vida que a mí me sobraba mientras que a él se le escapaba por una ancha herida que le dividía en dos la cabeza.

Pasé la noche a su lado pues nada más podía hacer que acompañarle en sus últimos momentos y aquel fue el día en que más lamenté ser un tullido incapaz de alzarle en brazos, cargármelo a la espalda y llevarlo a un lugar en el que pudieran salvarle la vida.

Fue una noche muy larga; noche de luna llena y mar en calma; una de esas hermosas noches en las que nadie debería morir.

Él se murió del todo y yo tan solo un poco.

Alanis Bermejo amaba su trabajo.

Nunca quiso ser policía; su sueño de niña había sido convertirse en modelo o actriz de cine, pero cuando al cumplir veinte años llegó a la conclusión de que su pequeña estatura no era la más apropiada para las pasarelas y su talento interpretativo no pasaba de mediocre, comprendió que tenía que ganarse la vida, por lo que acabó recalando en una profesión que evidentemente jamás había formado parte de sus fantasiosas aspiraciones juveniles.

Pero no tardó en descubrir que le encantaba ser policía ya que siempre se había considerado una mujer curiosa, intuitiva, meticulosa y persistente.

Su jefe aseguraba que en realidad no es que fuera persistente; es que era más terca que una mula.

Desde hacía dos años convivía con Rayco Granero, un profesor de windsurf que solía pasar más tiempo correteando sobre las olas que en tierra firme, y que era, por esas curiosas circunstancias que se dan en el amor, en el que con demasiada frecuencia los polos opuesto se atraen, un tipo enorme, fuerte como un toro, desordenado y desaliñado hasta la desesperación, puesto que le tenía sin cuidado todo cuanto no estuviese relacionado con la fuerza del viento, el tamaño de las olas o el cuidado de sus tablas y sus velas.

Nadie, y Antonio Lombardero menos que nadie, conseguía explicarse las bases sobre las que tan incongruente relación se mantenía en pie; pero en esa, como en tantas cosas de la vida que jamás conseguiría entender, el policía había decidido «tirar la toalla».

Lo que en verdad le importaba era que la diminuta pelirroja siempre estaba dispuesta a realizar cualquier clase de trabajo, a cualquier hora del día o de la noche; lo mismo se mostraba de acuerdo en pasarse largas horas vigilando a un «camello», como a revisar montañas de engorrosos y aburridos expedientes o intentar llevar por el buen camino a las prostitutas callejeras.

En esta ocasión su jefe le había ordenado confeccionar una larga lista de las relaciones sociales del matrimonio Ojeda, pero casi de inmediato resultó evidente que en ella apenas figuraban una docena de nombres.

Al parecer, los difuntos eran una pareja muy retraída, concentrada en la investigación, la lectura y los largos paseos por la playa, que se encontraba justo frente a su casa. No se les conocía otra afición que el cine, al que solían acudir un par de veces por semana, y el senderismo, al que dedicaban la mayor parte de los fines de semana, en los que solían patearse hasta el último rincón de la isla, incluso bajo un sol que rajaba las piedras.

Sus vecinos, en su mayoría extranjeros, apenas mantenían contacto con ellos, nada extraño en una isla en la que los residentes habituales preferían vivir alejados los unos de los otros, ya que la mayoría de ellos se habían establecido en Lanzarote en busca de paz y silencio. Además, como para sus investigaciones el matrimonio utilizaba un destartalado almacén que se alzaba en la parte posterior de su amurallado caserón, no tenían compañeros de trabajo habituales que pudieran aclarar algo más sobre ellos.

—Pero ¿qué era lo que investigaban exactamente? —quiso saber Antonio Lombardero cuando su entusiasta ayudante le puso al corriente de los escasos resultados que había obtenido hasta el momento.

—Cactus —replicó la muchacha.

—¿Cactus? —se sorprendió el otro—. ¿Y qué demonios se puede investigar sobre los cactus?

—Por lo que he podido deducir, estaban intentando conseguir que en el laboratorio se produjese una especie de mutación en los hábitos alimentarios de la cochinilla que, como supongo debes saber, cuando se aplasta produce un líquido de un rojo intenso muy apreciado en cosmética y bebidas alcohólicas.

—¿Una mutación en la cochinilla? —repitió, incrédulo, Antonio Lombardero—. Eso suena a película de ciencia ficción. ¿Qué quieres decir con eso de mutación?

—Que estudiaban la forma de acelerar su proceso de reproducción intentando adaptar el parásito a otro tipo de cactus más alimenticio, con lo que pretendían obtener ingentes cantidades de un carmín natural por el que se pagan auténticas fortunas. Según parece, el peculiar color rojo del Martini y el Campari se consigue a base de cochinilla. Está claro que en el caso de haber tenido éxito en sus investigaciones se habrían forrado.

—¿Y crees que habían conseguido algún resultado?

—Lo dudo. Ya has visto su jardín; es enorme. Hay cactus de todas las especies, tamaños, formas y colores, pero salvo los que siempre la han tenido, ningún otro está infestado de cochinilla.

—¿Y qué tiene eso que ver con toda esa historia del origen de la vida? —se interesó en buena lógica el comisario, que cada vez parecía más confundido con todo lo que estaba sucediendo a su alrededor.

—Supongo que nada, pero también es probable que durante alguna de sus caminatas domingueras tropezaran con la entrada de la cueva y decidieran echarle un vistazo.

—Que yo sepa en las cuevas lo que crecen son champiñones, no cactus, pero eso no viene al caso —le hizo notar su jefe—. Lo que importa es que evidentemente trabajaban solos.

—De eso no cabe la menor duda —admitió la muchacha—. Y eso significa que nunca se podrá saber en qué consistía la fórmula exacta de lo que los Ojeda consideraban «el origen de la vida».

—Excepto nuestro hombre.

—¿Y por qué no una mujer?

—Tú siempre tan feminista. ¡De acuerdo! —aceptó el policía—. Por qué no una mujer. Pero ¿quién y por qué motivo?

—Creo que si supiéramos el móvil tendríamos el caso resuelto. Sin embargo, está claro que el motivo de esas muertes es el deseo de ser el único conocedor de esa fórmula, aunque el culpable nunca podrá hacerla pública.

—¡Explícate!

—Es fácil. Se estaría acusando a sí mismo. Sería como robar *La Gioconda* tras acabar con la vida de tres personas. El asesino tendría que mantener el cuadro oculto hasta el día de su muerte.

—Supongo que a algún coleccionista fanático no le importaría robar *La Gioconda* aunque no pudiera mostrarla en público; de igual modo, supongo que nuestro asesino puede estar tan desquiciado que se conforma con saber que es el único poseedor de un secreto de tal trascendencia.

—En la academia no me enseñaron esas cosas.

—En ninguna academia te lo pueden enseñar todo, enana. Tan solo el tiempo, mucho tiempo, de trabajar en este maldito oficio te enseña que cada ser humano es un mundo, y que en ocasiones reacciona de una forma totalmente incongruente. Si todos los criminales se ajustaran a los mismos cánones, a los policías nos bastaría con aplicar la experiencia y el asunto quedaría resuelto en un abrir y cerrar de ojos. Sin embargo, cuando nos adentramos en una selva tan oscura y misteriosa como pueden llegar a ser algunas mentes humanas, lo que tenemos que hacer es olvidar la experiencia y aplicar la intuición.

—¿Y qué te dicta en estos momentos tu famosa intuición?

—Tan solo me dicta una carta de renuncia al caso porque no tengo ni puñetera idea de por dónde van los tiros y creo que mi deber es dejar este jodido asunto en manos de alguien más capacitado que yo.

—¡Vamos! —protestó ella—. No seas modesto. Todos sabemos que eres uno de los mejores investigadores del cuerpo.

—¡Menos coba! —le espetó el calvo—. Yo el único «cuerpo» que he aprendido a investigar a fondo es el de mi mujer. Además, no sé por qué diablos tengo la extraña impresión de que este caso no va con mi forma de trabajar.

—¿Por qué?

—Porque siempre he sido un hombre pragmático que cuando se enfrenta a un asesinato se pregunta en primer lugar a quién perjudicaba el muerto o quién se beneficia con su muerte. Pero en esta ocasión no encuentro respuesta a esas preguntas y, por lo tanto, considero que resultaría injusto para los Ojeda que mi ego impidiera que ese hijo, o hija, de la gran puta quedara impune.

—Acabamos de empezar y aún no está todo dicho.

Los años que siguieron fueron sin lugar a duda los más intensos y gratificantes de mi vida.

Conseguí sin demasiado esfuerzo, dada mi preparación matemática, un máster en informática; ello me permitía trabajar, sin apenas moverme de casa, realizando programas para grandes empresas que me pagaban bien, especialmente los videojuegos, por lo que pude agenciarme un todoterreno adaptado a mis limitaciones físicas y una vieja y pesada embarcación de ocho metros de eslora con un motor casi nuevo, el Timanfaya. Incluso estuve en disposición de ayudar económicamente a Yolanda —en realidad prefiero llamarla Fulgencia; suena menos romántico pero más honrado— con el fin de que comprara «su libertad» a un chulo ucraniano que la obligaba a patear día y noche las calles de Arrecife.

Nunca quise que viviéramos juntos puesto que me sentía muy a gusto solo y estaba convencido de que no se adaptaría a mis costumbres, pero me alegraba verla aparecer un par de veces por semana, cuando se lo permitía su nuevo trabajo de ayudante de cocina, no solo porque lo pasáramos muy bien haciendo el amor en el agua, sino porque luego le encantaba hacer prácticas de su nuevo oficio preparando unas deliciosas cenas; incluso, en ocasiones, se quedaba a dormir si se le había hecho demasiado tarde.

A veces, ahora que ha pasado mucho tiempo, me planteo que mi vida hubiera sido muy diferente de haber permitido que se quedara a dormir para siempre.

Si pretendo continuar siendo sincero, debo reconocer que la auténtica disculpa no era salvaguardar mi soledad o mis costumbres, sino que me avergonzaba que la gente pudiera pensar que Yolanda-Fulgencia había aceptado a un minusválido como única salida a la prostitución.

¡Estúpido de mí! ¿Qué demonios me importaba la gente, si yo jamás le había importado a nadie?

Quizá, dadas las circunstancias, muchos hubieran comprendido mis razones, y si no las llegaban a comprender tampoco importaba, porque al fin y al cabo lo que estaba en juego era mi vida y no lo que pudiera opinar un extraño.

Me avergüenza admitir que me comporté como un ridículo machista; a partir de aquel momento no culpé a nadie por mostrar prejuicios hacia mis circunstancias personales, puesto que yo había sido el primero en mostrarlos hacia las circunstancias personales de una afectuosa muchacha a la que en verdad apreciaba.

Fulgencia era una de las tantas infelices que habían venido a nuestro país creyendo que les aguardaba un trabajo digno, pero que muy pronto descubrieron que estaban atrapadas por las mafias de la prostitución; por lo tanto, tenía tanta culpa de sus «circunstancias» como pudiera tenerlas yo de haber nacido con una pierna más corta que la otra y una mano engarfiada.

No obstante, en el fondo sigo siendo de la opinión de que es preferible no involucrarse con las mujeres, ya que siempre acaban complicándote la existencia.

«Las mujeres que se han ido de tu vida, mejor que se hayan ido. Y las que se han quedado… mejor que se hubieran ido.»

¡El bueno de Bruno!

No cabe duda que tenía una gran experiencia al respecto.

A mí tan solo se me ha presentado una ocasión en la que poner en práctica sus enseñanzas, pero debo admitir que, aunque a menudo sienta cierta nostalgia, me veo obligado a darle la razón.

Y no es que sea un misógino; es que soy un tullido y hace años que lo acepto con todas sus consecuencias.

Tiempo atrás conocí a un cretino que se empeñaba en llamarme «colega» porque teníamos parecidos defectos físicos, pero se negaba a aceptar la realidad y se comportaba de una manera ridícula en una vana ilusión de pretender que cuantos le rodeaban ignorasen sus más que visibles carencias.

Se supone que debemos mostrarnos solidarios con quienes padecen nuestras mismas desgracias, pero en realidad aquel imbécil no era un desgraciado por tener una pierna más corta que la otra, sino por tener el cerebro aún más corto, y admito que ello me impedía solidarizarme con su forma de afrontar nuestras minusvalías porque una cosa es luchar por superarlas, y otra muy distinta intentar ignorarlas.

Siempre he admirado a quienes afrontan valientemente sus problemas y he despreciado a quienes se esfuerzan por fingir que no existen.

Y no pretendo afirmar con ello que yo haya sabido afrontar los míos; nada más lejos de la realidad. Aunque puedo argumentar en mi descargo que por mucho valor que hubiera demostrado jamás habría conseguido que la pierna se alargara, me creciera una mano nueva o me cambiara la cara.

Hay cosas que no son problemas; son simples realidades y el verdadero problema estriba en cómo se encajan.

Fue por aquel entonces, curiosamente cuando las cosas me iban mejor en lo personal, cuando se me ocurrió la peregrina idea de embarcarme, ¡y nunca mejor dicho!, en una absurda pero excitante aventura que acabaría costándome muy cara, aunque admito que me proporcionó algunos de los momentos más intensos y maravillosos que he vivido, exceptuando quizá la experiencia de encararme con un tiburón martillo a treinta metros de profundidad y armado únicamente con una máquina fotográfica y un pequeño cuchillo.

Las noches de luna llena y mar en calma cargaba el barco de combustible, agua, víveres y un par de enormes termos de leche caliente, y ponía rumbo al sur con el fin de dedicarme a patrullar la costa, siempre en paralelo a la isla de Fuerteventura, desde poco más al norte del islote de Lobos hasta la punta de Jandía, en el extremo opuesto de la isla.

Permanecía al pairo o navegando muy despacio y a oscuras, contraviniendo con ello todas las reglas establecidas y arriesgándome a que un imprevisto abordaje me enviara al fondo del mar. Tenía que estar muy atento a cuanto ocurría a mi alrededor, alejarme a toda prisa en cuanto distinguía una luz de situación, o aproximarme sigilosamente en el momento en que percibía el ronroneo de un motor fuera borda.

No resultaba tarea fácil localizar una pequeña patera que también avanzaba a oscuras en la inmensidad del océano, pero me ayudaba con unos prismáticos de visión nocturna. Con el tiempo, adquirí una notable experiencia a la hora de quedar a la deriva en la imaginaria línea que une la playa de El Aaiún, en pleno desierto del Sáhara, con las costas canarias. Así era como una de cada tres de esas noches de mar en calma conseguía localizar a un grupo de inmigrantes magrebíes o, preferentemente, subsaharianos que andaban a la búsqueda de una vida mejor.

Es una de esas experiencias que todo ser humano desearía conocer en algún momento de su vida.

Permanecer muy quieto, tumbado en cubierta, obser-
vando cómo la Osa Mayor y el resto de las constelaciones
se desplazan lentamente por el firmamento mientras se es-
cucha el suave murmullo del océano bajo la luz de una
luna llena que avanza hacia poniente, oteando de tanto en
tanto el horizonte a la espera de una treintena de aterrori-
zados infelices que se agolpan, temblorosos, sobre una frá-
gil embarcación que puede volcar en cualquier momento,
es algo en verdad difícil de olvidar.

Salir a su encuentro, proporcionarles seguridad, algo de
comer y leche caliente para más tarde remolcarles hasta
una tranquila ensenada en la que desembarcar sin peligro,
y observar cómo se pierden en el interior de la isla en bus-
ca de ese destino con el que llevan años soñando, produce
tanta satisfacción y tanto gozo interior que supongo que
hay pocas cosas que puedan comparársele.

Sobre todo cuando tienes que ingeniártelas para esqui-
var a las patrulleras de la Guardia Civil, que también
quiere salvarlos y protegerlos, pero que no está de acuerdo
en que los dejes marchar alegremente.

Antonio Lombardero y Alanis Bermejo decidieron invitar a cenar a los cinco «sabios», en parte como desagravio por los malos ratos y las incomodidades que les habían hecho pasar, y en parte como homenaje de despedida, ya que habían llegado a la conclusión de que nada conseguirían obligándoles a permanecer en la isla.

En Madrid se mostraban reticentes con la idea de que continuaran reteniéndoles contra su voluntad, y el comisario estaba convencido de que debía buscar al asesino en el entorno del matrimonio Ojeda pese a que de momento no se vislumbrara en el horizonte ninguna pista fiable.

—Resulta difícil aceptar que hayan vivido tanto tiempo en una pequeña isla y no tuvieran al menos un reducido círculo de amistades —comentó Irene Montagut cuando le explicaron en qué punto se encontraban las investigaciones—. Incluso yo, una viuda sin hijos que se pasa la vida entre probetas y microscopios, suelo relacionarme con bastante gente.

—Al parecer les gustaba estar solos, y el trabajo les absorbía —señaló la diminuta pelirroja—. Los pocos que les han tratado aseguran que eran una pareja algo «rara».

—Pero si, como parece ser, sus estudios sobre la cochinilla aún no les habían llevado a parte alguna, ¿de qué diablos vivían y cómo pagaban las investigaciones? —se interesó en buena lógica Sebastián Carrière Beson.

—Según su asesor fiscal tenían algún dinero que les había llegado por parte de la familia de Leonor —le aclararon—. Cuando murió su padre le dejo algunas fincas en Salamanca.

—¿Un patrimonio lo suficientemente importante como para que les mataran por eso?

—¡No! —sentenció el comisario, seguro de lo que decía—. Lo que a estas alturas les quedaba, aparte de la casa, no justificaría ni que les rompieran una pierna. Estoy convencido de que las motivaciones de ese crimen deben de ser muy distintas, pero no me pregunten cuáles porque lo cierto es que me encuentro tan a oscuras como el primer día.

—Por lo menos nos queda el consuelo de saber que al fin se ha convencido de que ninguno de nosotros tenía nada que ver con el asunto —señaló Dionisio Amorós.

—¡En absoluto! —fue la sincera y en cierto modo descarada respuesta—. No se hagan ilusiones; para mí continúan siendo tan sospechosos como el primer día, pero comprendo que no puedo continuar causándoles perjuicios. Sus forzadas «vacaciones» en Lanzarote han concluido, lo cual no quiere decir que no pueda volver a molestarlos si lo considero oportuno.

—Es fácil encontrarnos —le hizo notar el padre Anselmo—. Por lo menos a mí, que no pienso moverme de mi parroquia.

—Lo sé. Pero lo que también me gustaría saber es si alguno de ustedes tiene alguna idea que pudiera servirme de ayuda —la demanda era sin lugar a dudas de una absoluta sinceridad—. Siempre se ha dicho que siete cabezas piensan más que dos.

Todos se miraron; resultaba evidente que aquella era una pregunta que ya se habían hecho en infinidad de ocasiones, e incluso probablemente solían discutir el tema entre ellos sin haber conseguido llegar a ninguna conclusión.

Por fin fue el hombre de los ojos verdes, David Benegas, el que se decidió a responder, erigiéndose en portavoz del grupo:

—Algunos opinamos que se trata de un asunto estrictamente personal que escapa a nuestros conocimientos, pero otros están convencidos de que ese sorprendente descubrimiento del origen de la vida está detrás de todo; aunque no conseguimos ponernos de acuerdo sobre si se trata de una motivación económica o religiosa.

—¡Pues sí que ayudan mucho!

—¿Y qué quiere que le digamos? —refunfuñó la mujerona de la voz de trueno—. Usted es el profesional. Si me pregunta sobre química le responderé, pero este es mi primer caso de asesinato, y confío en que sea el último porque a pesar de lo vieja que soy no me apetece que un loco ande suelto por ahí dispuesto a liquidarme porque tal vez imagina que sé algo sobre esa misteriosa fórmula que alguien no quiere que salga a la luz.

—¿Realmente se considera en peligro?

—Tropezarme cada mañana con un policía armado a la puerta de mi habitación no ayuda a que me sienta tranquila, la verdad. Si mataron a Soledad Miranda ¿por qué no a mí?

—¿Todos opinan lo mismo?

—Lo que importa no es lo que opinemos nosotros —intervino de nuevo Dionisio Amorós—. Lo que en verdad importa es lo que opina usted. ¿Estamos o no estamos en peligro?

—Quiero creer que no.

—Cuando está en juego mi vida, un «quiero creer» no me basta.

—Es todo lo que puedo ofrecerle.

—En ese caso, mañana, cuando abandone Lanzarote le dejaré el número de mi móvil y, como dicen mis hijos, «me pintaré de azul» y desapareceré de la circulación hasta que agarren al asesino.

—¿Y si no conseguimos agarrarle? —aventuró Alanis Bermejo—. ¿Se pasará la vida escondido?

—Me asombra su confianza en la policía, señorita... —replicó con evidente ironía el hombre de la poblada melena blanca—. Pero a mi modo de ver más vale vivo escondido que muerto a la vista. Sobre todo si se trata de mi cadáver.

—En eso estoy de acuerdo —reconoció con una leve sonrisa Antonio Lombardero—. Nuestra primera obligación es conservar el pellejo y les aconsejo que pongan en ello todo su empeño. Y visto que no se les ocurre nada sobre las posibles razones de esos asesinatos, me gustaría que me aclararan si, después de tantos días de meditar e intercambiar opiniones sobre el tema, continúan opinando que esa extraña historia del origen de la vida puede ser factible.

—Me temo que sí.

—¿Están seguros?

—Nunca hay nada seguro, pero existen muchos detalles, y en estos últimos tiempos se han hecho ciertos descubrimientos científicos que encajan con las teorías de los Ojeda.

—¿Como cuáles?

—Como el hecho de que entre sus anotaciones hemos encontrado menciones a la existencia en ese tubo volcánico de rastros de gas metano, lo cual puede significar que lo que encontraron en ella eran en realidad microorganismos metanógenos.

—¡En cristiano, por favor!

—En cristiano quiere decir que a falta de sol, esos microorganismos tal vez se alimenten de un hidrógeno que les puede llegar desde las profundidades a través de grietas en las rocas, o por medio de esa misteriosa gota que al parecer se deslizaba por la estalactita. Como consecuencia de ello las bacterias producen gas metano.

—¿Les sorprendería si confesase humildemente que me he quedado como al principio? —inquirió una estupefacta Alanis Bermejo.

—¡No! —admitió la mujer de la voz cavernosa haciendo de nuevo uso de la palabra—. Pero probablemente será usted la que se sorprenderá si le digo que recientemente la sonda *Mars Express* ha detectado rastros de metano sobre la superficie de Marte, y ello está obligando a los científicos de todo el mundo a plantearse la posibilidad de que en el planeta rojo exista una forma de vida bacteriana que genera ese gas.

—Yo no sé mucho de estas cosas… —intervino de nuevo Antonio Lombardero con encomiable humildad—. Pero tenía entendido que los volcanes también pueden producir gas metano, y me consta que en Marte hay volcanes como para parar un carro.

—Pero por lo que sabemos están inactivos desde hace miles de años, mientras que el metano tan solo puede permanecer un máximo de cuatrocientos años en la atmósfera marciana, lo cual significa que su origen es relativamente reciente.

—¿Producido por microorganismos similares a los que descubrieron los Ojeda?

—¡Más o menos!

—¡Vaya por Dios! —masculló el comisario, acariciándose repetidamente la calva tal como solía hacer cuando estaba desconcertado—. Siempre se ha dicho que Lanzarote tenía un paisaje lunar, pero ahora va a resultar que es más bien marciano.

—La diferencia no es mucha, y los Ojeda también tenían razón al asegurar que esta isla es un fastuoso laboratorio natural —señaló Carrière Beson—. Por lo tanto no le extrañe que más adelante, cuando todo este asunto se haya aclarado y considere que no corro peligro, me vea de nuevo por aquí.

—¿Buscando el origen de la vida?

—¿Por qué no? Lo que se encontró una vez puede volver a encontrarse otra, sobre todo disponiendo como disponemos de una serie de indicaciones que nos facilitan mucho las cosas.

—¿Y de verdad cree que la humanidad necesita ese descubrimiento, con toda la polémica que puede traer aparejado? —intervino Alanis Bermejo—. Si hasta ahora nos hemos apañado sin tener la seguridad de que no somos más que el resultado de una combinación de elementos químicos, digo yo que podríamos continuar así.

—La misión de los científicos es investigar y avanzar cuanto sea posible, y dejar para los pensadores y los teólogos las consideraciones de tipo moral —puntualizó David Benegas, que parecía muy seguro de lo que decía—. De no ser así continuaríamos creyendo que la Tierra es plana o que es el Sol el que gira en torno a nosotros.

—Pero la teoría del origen de vida ya ha costado tres vidas, lo cual parece una burla.

—Creo que eso aún está por ver —puntualizó el hombre de los intensos ojos verdes al tiempo que se introducía una aceituna en la boca y lanzaba luego el hueso hacia una lámpara vecina, cosa que desconcertó a todos los presentes puesto que por lo general era una persona muy seria y comedida—. Personalmente soy de la opinión de que el origen de esos asesinatos no está en el descubrimiento de esa fórmula.

—¡Disiento! —se apresuró a intervenir Carrière Beson—. A mi modo de ver no cabe la menor duda de que de esas investigaciones parte la raíz del problema.

—¿Y qué pruebas tienes?

—Las mismas que tú de que no es así.

—¡Qué estupidez! Las acusaciones hay que probarlas; lo que no se necesita probar es la presunción de inocencia.

—¡Un momento! —intervino el padre Anselmo Arriaga, y extendió las manos como si con ese gesto pretendiera cumplir con su labor de apaciguador de ánimos alterados—. Ya hemos llegado a la conclusión de que por el camino de las discusiones bizantinas no vamos a ninguna parte y lo único que conseguiremos es confundir a nuestros anfitriones, que por lo que hemos podido ver ya lo están bastante sin nuestra ayuda. Tal vez exista un tercer camino del que nos hemos olvidado.

—¿Y es?

—Las investigaciones de los Ojeda.

—Se supone que es de eso de lo que estamos hablando —masculló, quisquilloso, David Benegas, y lanzó otro hueso de aceituna que fue a rebotar contra el cristal de una ventana—. ¿O no?

—No exactamente —puntualizó el sacerdote.

—¿Cómo que no? —intervino Irene Montagut—. ¿A qué diablos se refiere entonces?

—Me refiero a las investigaciones que evidentemente los Ojeda decidieron abandonar, o tal vez tan solo aparcar de momento, al considerar que este otro descubrimiento del origen de la vida lo relegaba a un segundo término.

—¿Se está refiriendo a esa absurda historia de la cochinilla? —inquirió el comisario Lombardero, súbitamente interesado.

—Naturalmente —corroboró el otro—. Supongamos que alguien sabía que los Ojeda habían encontrado un cactus cuya naturaleza consiguiera que ese parásito se multiplicara hasta convertirlo en una auténtica mina de oro, pero de igual modo sabía que estaban mucho más interesados, yo diría que casi obsesionados, con unas investigaciones que en el terreno de la ciencia los situaría a la altura de Galileo o de Darwin. —Abrió las manos, como si con ello lo aclarara todo, y añadió—: ¿Qué mejor momento para asesinarlos que el día en que hacen público uno de los dos temas sin tan siquiera molestarse en mencionar el otro? Sería como un juego de prestidigitación; todo el mundo está pendiente de una mano, pero la que a él le preocupa es la otra.

—¡Interesante teoría…! —no pudo por menos que reconocer el policía mientras se acariciaba la calva por enésima vez en el transcurso de la velada—. ¡Muy interesante! Permitir que los Ojeda se quedaran con la fama, pero apoderarse del dinero. ¡Astuto! ¡Muy astuto! Tenía yo razón al señalar que siete pares de ojos ven más que dos.

—Le advierto que no es más que una teoría sin la menor base científica… —le aclaró el sacerdote.

—Pero basada en motivaciones de tipo económico, que son las que a mí me convencen cuando no se trata de crímenes pasionales —replicó Antonio Lombardero al tiempo que se volvía a la pequeña pelirroja que se encontraba casi al otro extremo de la mesa para indicarle con una amable sonrisa—: Hazme un favor, pequeña… Entérate de si los Ojeda trabajaban con alguien que les proporcionara esos cactus, se los cuidara, o hubiera colaborado con ellos antes de que les diera por la chifladura de esos dichosos microorganismos metanógenos, o como quiera que se llamen.

—Que yo sepa, ellos mismos los buscaban, los plantaban y los cuidaban, puesto que los cactus se las apañan muy bien solos —replicó la muchacha—. Tengo cuatro o cinco en la terraza, la mayoría de las veces me olvido de regarlos, pero aun así cada día están más altos y más gruesos.

—De todos modos intenta averiguar algo, por favor.

—¡Faltaría más!

El mar semejaba una balsa de aceite y el hombre del tiempo había anunciado calma total, por lo que en esta ocasión me encontraba al pairo en la ruta de las pateras, convencido de que aquella sería una noche productiva y más tarde o más temprano un grupo de inmigrantes clandestinos harían su aparición en la distancia.

Sin embargo, cuando menos me lo esperaba, a punto estuvo de lanzarme al agua una gigantesca ola que surgió de la oscuridad llegando desde el norte y me acompañó la suerte puesto que casualmente tenía la proa apuntando en aquella dirección. En caso de haberme sorprendido de través, me hubiera puesto de inmediato con la quilla al aire y probablemente no estaría ahora aquí para contarlo.

Más tarde averigüé que tres horas antes se había producido un maremoto frente a las costas de Agadir, y pese a que no había producido destrozos en tierra firme, era sin duda el causante de aquel peligroso *sunami* que se me había venido encima de modo tan brutal e inesperado.

A la primera ola siguieron otras muchas que fueron disminuyendo poco a poco en intensidad, pero tan activas y continuadas en los primeros momentos, que admito que me las vi y me las deseé para no caer por la borda.

De inmediato puse el motor en marcha con el fin de capear el temporal como Dios me daba a entender, maldiciendo a gritos al océano y a mi absurda manía de salir a buscar negros cuando podría estar tan tranquilo arropadito en mi cama.

Ignoro durante cuánto tiempo luché con un mar que en esos momentos parecía haber olvidado nuestro viejo pacto de amistad, ya que se mostraba más que dispuesto a engullirme para siempre, pero cuando al fin volvió la calma y me dispuse a regresar a casa oí desesperados gritos de auxilio; al poco, me asombró descubrir que una frágil patera había conseguido mantenerse a flote pese a que iba tan sobrecargada que apenas sobresalía un palmo sobre la superficie del agua.

Acudí a su lado a tiempo de ver cómo comenzaba a zozobrar, debido en parte a que, al verme llegar, la mayoría de sus ocupantes no dudaron en lanzarse al agua y nadar hacia mí en busca de salvación.

Más de uno desapareció definitivamente, pero con mucho esfuerzo conseguí que dieciocho treparan a bordo del Timanfaya, temblando de frío y tan aterrorizados que aún tengo en la retina unos rostros que me recordaban a los de aquellos cadáveres con los que me había tropezado entre las rocas, al pie del acantilado.

Ahora era mi embarcación la que iba sobrecargada mientras la patera se hundía lentamente y aún no me explico cómo demonios conseguí aproximarme sin peligro a la costa pese a que la luna ya se había ocultado hacía tiempo en el horizonte.

Conocía bien la zona pero, a oscuras y con dificultades para maniobrar por culpa del sobrepeso y la falta de estabilidad, la tarea de desembarcar a aquella cuadrilla de agotados y temblorosos supervivientes fue una de las más arduas a las que me he enfrentado en mi vida.

Un muchacho saharahui de poco más de quince años, que al lanzarse al agua se había golpeado con un remo en la cabeza, permanecía inconsciente, por lo que no me quedó más remedio que llevármelo con el fin de esconderlo en mi casa, aun a sabiendas de que ello podría acarrearme incontables problemas.

Aquella noche aprendí que, por mucho que lo amara, ni tan siquiera el mar es de fiar, visto que cuando menos lo esperas te juega una mala pasada; aunque, pensándolo bien, debo admitir que en esa ocasión la culpa no fue suya, sino de una tierra que decidió agitarse y ello le obligó a estremecerse con violencia.

Fuera como fuera, lo cierto es que el incidente, que a punto estuvo de costarme la vida, me obligó a olvidar mis correrías nocturnas durante una temporada puesto que me llegó el rumor de que las autoridades empezaban a sospechar que algunos isleños se dedicaban a ayudar «desde dentro» a los inmigrantes clandestinos.

Estaba convencido de que si me descubrían me acusarían de pertenecer a las mafias que trafican con seres humanos por dinero, y dudaba mucho de que pudiera convencer a ningún juez de que me pasaba largas noches en vela y arriesgaba la vida porque me daban pena unos pobres muertos de hambre.

Aunque si buceara en lo más profundo de mí mismo tal vez me viera obligado a admitir que, más que la compasión, lo que me movía era la emoción, e incluso la indescriptible sensación de sentirme íntimamente orgulloso de mí mismo por haber hecho algo en beneficio de gente a la que no conocía ni volvería a ver jamás, sobre todo teniendo plena conciencia de que nadie lo sabría nunca.

En el mar, incluso un tullido que, como yo, tan solo disponía de un brazo y una pierna estaba en condiciones de salvar la vida a hombres y mujeres que nada tenían de minusválidos.

¿Me gustaría saber si existe alguna explicación lógica a tan disparatado comportamiento?

Supongo que algún retorcido psiquiatra de la escuela freudiana encontraría de inmediato connotaciones directamente relacionadas con mis traumas y frustraciones infantiles, y argumentaría que lo que en verdad anhelaba era demostrar mi superioridad sobre los «normales» a pesar de mis evidentes anormalidades.

Pero lo cierto es que tripulando una buena lancha dotada de un poderoso motor no hacía falta mucho para sentirse superior a dos o tres docenas de aterrorizados africanos que ni siquiera sabían nadar y que se amontonaban sobre un montón de maderas carcomidas impulsado por un fuera borda casi de juguete.

El cazador que se agazapa en la selva a la espera de una peligrosa fiera a la que abatir de un disparo debe de experimentar una tensión semejante a la que yo sentía al otear en la noche el horizonte aguardando la aparición de una de aquellas frágiles embarcaciones repletas de hombres y mujeres que me contemplaban como a un ángel que descendía de los cielos para echarles una mano cuando más lo necesitaban.

Quiero creer que alguien, en algún lugar del mundo, pensará alguna vez en mí y que tal vez bendecirá mi nombre aunque no sepa cuál es.

Con eso me basta.

La puerta se abrió bruscamente y una desencajada Alanis Bermejo penetró como una tromba en el despacho para colocar su placa y su revólver sobre la mesa de su estupefacto superior.

—¡Toma! —exclamó—. Puedes quedártelas. ¡Renuncio!

—¿Cómo has dicho? —preguntó, desconcertado, Antonio Lombardero que parecía no dar crédito a lo que estaba oyendo—. ¿Qué quieres decir con eso de que renuncias?

—¡Está claro! —replicó la iracunda muchacha—. «Renuncio», que no significa que seas un nuncio repetido, sino que viene de la palabra «renunciar», dimitir, o si te suena más castizo, «irse al carajo».

—¿Acaso intentas hacerme creer que quieres dejar de pertenecer al cuerpo de policía?

—Al cuerpo y al alma, querido —replicó la pelirroja al tiempo que se dejaba caer en la silla que se encontraba frente a su interlocutor—. Desde este mismo momento me considero una mujer absolutamente liberada de todos los juramentos profesionales que hice en su día.

—¿Y eso por qué?

—¿Cómo que por qué? —la pregunta respondía a otra pregunta—. ¿Acaso no lees los periódicos?

—¡Naturalmente que los leo! Pero no tengo ni puñetera idea de qué diablos pueden haber dicho que te haya conducido a tomar una decisión que está en contra de lo que me consta que son todos tus sueños y todas tus aspiraciones.

—¡Pues te lo voy a explicar por si no te has enterado! —puntualizó Alanis Bermejo sin perder su tono de agresividad—. Resulta que un famoso bailador de flamenco, cuyo nombre no pienso pronunciar jamás, se ha comprado un coche deportivo, y sin tener carnet de conducir ni seguro de ningún tipo, se ha lanzado a correr como un loco y ha atropellado a un pobre hombre que cruzaba tranquilamente un paso de cebra.

—Sí, eso ya lo sé —admitió, confundido, el comisario jefe de Lanzarote—. Pero ¿qué tiene eso que ver contigo?

—Personalmente nada. Pero el caso es que se dio a la fuga, dejando que aquel desgraciado se desangrase hasta morir, se ocultó durante seis meses, y cuando al fin comprendió que le habían descubierto, le echó la culpa a su hermano, de quince años, confiando en que de ese modo no se le pudieran pedir responsabilidades.

—¡También sé todo eso! ¿Y qué?

—Que en lugar de detenerle y encerrarle hasta que se muera de viejo, nuestro bien amado cuerpo de policía y nuestros inefables jueces le permiten seguir en libertad, montar un nuevo espectáculo y que cientos de desgraciados tan hijos de puta como él le aplaudan. El lugar de llamarle canalla, asesino y cobarde, le han jaleado como a un héroe, cuando en otros tiempos, más brutales pero más justos, le habrían linchado.

—Entiendo que estés furiosa porque en realidad es un asunto en verdad indignante, pero lo que no entiendo es por qué razón algo así te impulsa a dejar la profesión.

—Porque no estoy dispuesta a jugarme la vida, a exponerme a que cualquier día un camello drogado me meta una puñalada, o a que uno de esos maridos maltratadores con los que tengo que lidiar casi a diario me pegue un tiro, para defender a una sociedad que ha trastocado sus valores hasta el punto de alabar a los criminales y olvidar a sus víctimas.

—¡Tampoco es así! —protestó el calvo Lombardero—. La mayoría de la gente le desprecia.

—Es posible, pero en cinco minutos de dar palmadas, taconeos y quejíos, ese cerdo gana más que la mísera pensión que le ha quedado a la viuda de su víctima. Sin embargo, nuestros supuestos compañeros de profesión no hacen nada, y los jueces encargados de que las leyes se cumplan se las pasan por el forro de los cojones.

—¡Ya ha perdido perdón!

—¿Y crees que basta con eso? Ha convocado una multitudinaria rueda de prensa para echar unas lagrimitas de cocodrilo y asegurar que algunas noches no puede dormir por lo que ha pasado. Pero el muerto sí que duerme para el resto de la eternidad, y los que le amaban no duermen nunca. —La muchacha se inclinó hacia delante para observar a su jefe a pocos centímetros de distancia y preguntó—: Dime sinceramente… ¿vale la pena arriesgarse a que te maten en plena juventud por unas leyes que no se cumplen?

—Supongo que no.

—¡Desde luego que no! Si al parecer basta con ser rico o famoso para que la justicia se olvide de ti, y pobre y desconocido para que tus verdugos se meen sobre tu tumba, nadie debe ser tan loco para perder un minuto de su vida protegiendo a semejante pandilla de indeseables.

—Si todos pensáramos así, el mundo sería una jungla —argumentó su interlocutor.

—¿Y acaso no lo es? —la agria respuesta llegó de inmediato—. Y si aún no lo fuera pero algún día llegara a serlo mejor nos iría porque al menos en la jungla se respetan las leyes básicas de la naturaleza, y aquí, ahora, ni tan siquiera nos queda ese consuelo.

Antonio Lombardero se tomó un largo tiempo para responder; se acarició la calva como tenía por costumbre, se puso en pie para aproximarse a la máquina que le proporcionaba agua fría, bebió largamente, lanzó el vaso de cartón a una papelera, y fue a sentarse sobre la mesa, a pocos centímetros de su subordinada a la que colocó la mano sobre el hombro con innegable afecto.

—Comprendo tu indignación y la comparto —dijo—. También a mí me ha afectado esa sucia historia, pero te recuerdo que nuestra misión no es juzgar, sino más bien por el contrario, evitar hacerlo. Me consta que nuestros compañeros de Andalucía han realizado una magnífica labor investigando hasta descubrir quién fue el desalmado que cometió tan abominable crimen, y te aseguro que no fue tarea fácil porque habían ocultado muy bien el coche y tenía muchos cómplices. Pero al fin lo han desenmascarado y han puesto su nombre y las pruebas sobre la mesa de un juez. —Apretó el hombro de la muchacha como si quisiera con ello transmitirle sus propios sentimientos y puntualizó en tono de absoluta firmeza—: Esa es nuestra obligación, y en ese justo punto termina.

—Pues me niego a aceptarlo.

—¿Y qué pretendes entonces? ¿Tomarte la justicia por tu mano pegándole un tiro, o matarle de una paliza en los calabozos como en los viejos tiempos de una dictadura que por suerte para ti nunca llegaste a sufrir? —Le cogió la barbilla y la obligó a que le mirara directamente a los ojos—. ¡No, querida enana! Esos tiempos ya pasaron y

confío en que nunca regresen. Ni tú ni yo juramos castigar a los culpables; lo que juramos fue intentar atraparlos
y proteger a los inocentes, y mientras cumplamos fiel-
mente con ese juramento seguiremos en paz con nuestras
conciencias. —Se encogió ostensiblemente de hombros y
concluyó—: El resto es responsabilidad de otros.

—¿Pretendes decir con eso que trabajamos para irres-
ponsables?

—No, porque la mayoría no lo son. De la misma manera que no puedes dejar de creer en la Iglesia porque
existan curas pederastas, no puedes dejar de creer en la
justicia porque existan jueces ineptos.

—Abundan en exceso.

—Pero no es culpa nuestra, que al fin y al cabo somos
los que más sufrimos las consecuencias ya que nos vemos
obligados a perseguir una y otra vez a los mismos delin-
cuentes que al día siguiente están de nuevo en la calle. Es
un juego maldito y macabro, pero es al que nos compro-
metemos a jugar desde el momento en que llegamos a la
conclusión de que es preferible la democracia a la dictadura.

—¡Pues no me gusta ese juego!

—En ese caso haces bien en entregar tu placa y tu pistola, porque eso es lo que hay. Y yo haría bien en aceptar
tu renuncia si creyera que no puedo confiar en alguien
que se niega a entender cuál es su verdadero papel en todo
este jodido tinglado. —Le indicó con un firme ademán la
puerta por la que había entrado y añadió—: Pero como
me consta que lo único que tienes es el cabreo lógico que
tenemos todos, recoge tus cosas, dedícate a buscar al asesino de los Ojeda y no me toques los cojones con tantos
remilgos y chorradas, que para eso me basta y me sobra
con Candela.

—Tú siempre tan fino y diplomático —masculló la muchacha al tiempo que introducía de mala gana en el bolso su placa y su pistola—. ¡Por cierto…! —añadió al poco—: ¿Cómo van las cosas?

—¡Estupendamente! —la respuesta era a todas luces desconcertante—. Nos estamos divorciando.

—¡Vaya por Dios! Lo siento.

—¿Y por qué lo sientes? —pareció sorprenderse Antonio Lombardero—. Ya te he dicho que ahora nos va estupendamente.

—¿Cómo puedes decir que las cosas te va estupendamente con tu mujer si te estás divorciando después de veintitrés años de matrimonio? —inquirió en tono de auténtica indignación la pelirroja—. ¿Es que estás loco o juegas a hacerte el duro?

—Ni estoy loco, ni juego a nada, enana —replicó su jefe con una burlona sonrisa—. Y te recuerdo que no son veintitrés años de matrimonio; son veintidós de convivencia y uno de matrimonio.

—¿Y cuál es la diferencia?

—Mucha.

—¡Explícamelo!

—¡Es fácil! He vivido veintidós maravillosos años como pareja de hecho de Candela Santana. Y a continuación he vivido un año de infierno con la señora de Lombardero.

Su interlocutora le miró como si las ideas se le hubieran desperdigado por la habitación y no supiera muy bien de qué demonios le estaban hablando. Al fin, hizo un gesto con el dedo índice, señaló a un costado, casi a su espalda, como si realmente creyera que la persona a la que aludía su jefe se encontraba en la misma estancia.

—¿Te estás refiriendo a Candela?

—¡Naturalmente!

—O sea que, o yo no me aclaro, o cuando te refieres a la señora de Lombardero, te estás refiriendo a la misma Candela Santana que conozco de toda la vida.

—¡Claro!

—¿Y pretendes hacerme creer que una mujer que yo sé que te adora, cambió desde el día en que os casasteis, por lo que tu vida pasó de la noche a la mañana de ser un auténtico paraíso a convertirse, por lo que aseguras, en un infierno?

—Exacto.

—¡Anda ya!

—Bueno... —puntualizó el policía con encomiable sinceridad—. En realidad no fue ella la que cambió. Fui yo.

—¿Y eso por qué?

—Me sentí traicionado.

—¿Traicionado? —repitió casi estúpidamente Alanis Bermejo, que cada vez parecía más confusa y tenía la impresión de que le estaban hablando en malayo—. ¿Qué diablos pretendes decir con eso de traicionado?

—Lo que he dicho. Yo la quería apasionadamente, le era fiel, y le había entregado cuanto tenía durante veintidós años, pero de pronto ella, aconsejada por un par de amiguitas cotillas, consideró que eso no bastaba, y que un secretario de juzgado, al que no había visto nunca ni volverá a ver jamás, tenía que certificar por escrito, con los correspondientes sellos y pólizas, que tenía la obligación de seguir queriéndola, siéndole fiel y ofreciéndole cuanto tenía, por el resto de mi vida. —El comisario Antonio Lombardero extendió las manos con las palmas hacia arriba como si con ello estuviera exponiendo una verdad incuestionable y concluyó—: Y a mi modo de ver no confiar en la persona a la que amas es la forma más cruel y sutil que existe de traicionarla.

—¡Pues sí que tienes tú una forma rara de ver las cosas! —masculló casi mordiendo las palabras su ayudante—. Se supone que la gente cuando se quiere, se casa.

—Y cuando no se quiere, también.

—¿Y eso qué significa?

—Que ningún certificado de matrimonio, por muchas firmas, pólizas y sellos que se le pongan, garantiza el amor con la misma fuerza que veintidós años de convivencia en perfecta armonía.

—En eso puede que esté de acuerdo.

—Es que es la realidad. Conozco cientos de matrimonios, bendecidos incluso por un cardenal, que ni se aman ni se respetan. Y cientos de parejas de hecho que no pueden vivir el uno sin el otro.

—Eso también es verdad, para qué voy a engañarme. Yo me llevo estupendamente con Rayco pese a que jamás se me ha pasado por la cabeza la idea de pedirle que nos casemos.

—¿Y a él tampoco se le ha ocurrido proponértelo?

—¿A Rayco? —se asombró la pelirroja como si aquella fuera la pregunta más absurda del mundo—. Tengo la impresión de que Rayco ni siquiera imagina que existe una cosa que se llama matrimonio.

—¿Y eso por qué?

—Supongo que porque no se puede «coger olas» sobre un certificado de matrimonio.

—Ni construir los cimientos de un verdadero amor. Y quien opta por ese certificado se arriesga a quedarse sin amor.

—Es un modo muy peculiar de enunciar un problema, cuando lo que no te gusta es el problema en sí mismo

—admitió la muchacha—. Pero conociéndote como te conozco, no debería sorprenderme. ¿Crees que el simple hecho de divorciarte lo solucionará?

—Por lo que a mí respecta, sí.

—¿Y por lo que respecta a Candela?

—No lo sé, pero aún es una mujer muy guapa y muy atractiva, de modo que el día en que nos concedan el divorcio podrá elegir entre alguien que le ofrezca un nuevo certificado de matrimonio, o alguien que le ofrezca otros veinte años de felicidad.

—¡Qué jodido!

—¡Un respeto a tu jefe!

—Ahora no estoy hablando con mi jefe —protestó la muchacha—. Se supone que estoy hablando con un amigo que intenta liarme con teorías de lo más peregrinas.

—Teorías que en el fondo compartes, puesto que no has obligado a tu novio a que se case —observó en un tono bastante agrio Antonio Lombardero.

—¡Un momento! —le atajó su interlocutora—. Una cosa es que yo no tenga interés en casarme, y otra que una vez casada decidiera divorciarme con la intención de unirme a la misma persona. Ya me habían advertido que un gran número de policías están mal de la cabeza y que puede ser contagioso, pero aún no he llegado a ese punto.

—Pero te falta poco…Y ahora déjame en paz porque tengo mucho papeleo pendiente y tú un asesino al que descubrir, y está claro que de momento aún no has sido capaz de encontrar ni una sola pista.

—No la he encontrado porque no existe —fue la agria respuesta—. La teoría de que nuestro asesino podría estar detrás de la fórmula de la cochinilla no se me antoja válida porque los especialistas aseguran que se trata de un parásito muy específico de cierto tipo de pencas, y que por lo tanto se necesitarían cientos de años para conseguir que mutase y se adaptara a otras especies de cactus.

—¿Seguro?

—Seguro. Todo el mundo está de acuerdo en que en ese negocio los Ojeda habían fracasado.

—Tal vez se deba a que lo olvidaron para concentrarse en la cuestión del origen de la vida, donde por lo visto sí que triunfaron.

—De poco les valió porque cada día me reafirmo más en la idea de que fue lo que les costó que les cortaran el cuello. Sobre todo cuando se rasca en la historia de nuestra buena amiga, la difunta Soledad Miranda.

—¿Qué pasa con ella?

—Que por lo que he podido averiguar era un pájaro de cuidado que había jodido a más de uno, sobre todo a la hermana de su madre, a la que le quitó el marido, que era el fundador y el verdadero dueño de los laboratorios de los que últimamente se había convertido en directora y dueña absoluta.

—¡Vaya por Dios! ¿O sea que era un mal bicho?

—Una serpiente de cascabel. Por lo visto aprovechó que el pobre viejo estaba enfermo para ponerlo todo a su nombre, de modo que cuando al fin el viejo la palmó, de una forma bastante sospechosa, sea dicho de paso, nuestra amiga había dejado a la primera mujer, es decir su propia tía, y a los hijos del difunto, es decir, sus primos, en la más absoluta miseria.

—¿Acaso estás insinuando que el asesinato de los Ojeda fue un montaje cuyo verdadero objetivo era cargársela y recuperar esos laboratorios? —incrédulo, inquirió Antonio Lombardero.

—¡En absoluto! —fue la convencida respuesta de la pelirroja—. Demasiado rocambolesco para mi gusto, aparte de que nadie pudo preparar un plan tan minucioso en tan poco tiempo.

—¿Entonces?

—Entra dentro de lo posible que en realidad ella tuviera algo que ver con esos asesinatos con vistas a la posible comercialización de una fórmula magistral que permitiría recuperar el prestigio de unos laboratorios que bajo su dirección había decaído de forma notable, puesto que la tal Soledad no tenía, ni remotamente, el talento ni la preparación de su difunto marido. Aparte de que por lo que me han contado era alcohólica, drogadicta, ludópata y, por si fuera poco, un putón de mucho cuidado.

—¡No jodas!

—Se había dejado auténticas fortunas en las ruletas de medio mundo, especialmente de la Costa Azul, a la que solía acudir con jovencitos de buen ver y mejor usar que por lo visto le estaban sacando todo lo que ella le había sacado al viejo.

—¡Menudo lío!

—Y que lo digas.

—O sea que ahora tenemos que buscar en el entorno de Soledad Miranda a alguien que la ayudara a cometer esos asesinatos y que luego, por alguna razón, tal vez por avaricia, decidiera acabar también con ella…

—Si quieres que te sea sincera, no sabría qué decirte —reconoció la muchacha con un leve encogimiento de hombros—. Este asunto se está volviendo como el cuscús, que cuanto más comes más lleno tienes el plato. Aquí, cuanto más investigas menos te aclaras.

—Conozco el problema… —admitió el comisario Lombardero al tiempo que la señalaba con el dedo y preguntaba—: ¡Y a propósito de aclaraciones…! ¿Qué son esos rumores que me han llegado acerca de un windsurfista que se ha ahogado y al que tu novio ha hecho un funeral en la playa?

—¡Nada importante! ¡Cosas de Rayco!

—«Las cosas de Rayco» suelen tener la mala costumbre de ponerme los pelos de la calva de punta. ¡Cuéntame qué pasó!

—Poca cosa… Uno de sus mejores amigos, Alejandro, que era un loco imprudente, se alejó demasiado con viento del nordeste y no pudo regresar. Cuando tres días más tarde recuperaron su cadáver, sus compañeros tuvieron la idea de hacerle un funeral en la playa que más le gustaba.

—¡Es bonito! —admitió el policía—. Romántico y muy emotivo.

—Lo mismo pensé yo, pero lo malo es que no se les ocurrió nada mejor que, en el velatorio, en lugar de rodear el ataúd de cirios, lo rodearon de velas de hacer windsurf, con música de rock y litros de ron. Incluso cuentan, y yo me lo creo porque conozco al personal, que a medianoche se empeñaron en llevar al muerto a «coger olas» por última vez; naturalmente eso acabó de enfurecer a sus padres, con lo que la cosa acabó como el rosario de la aurora.

—¿Y tú no estabas allí para evitarlo?

—¿Yo? —se sorprendió la muchacha—. ¿Crees que estoy loca? Hace años que no pongo los pies en la playa porque cuando veo a Rayco tan alto, tan fuerte y tan guapo, asediado por esa legión de guiris, todas tan rubias y con esos «cuerpos danone», sobándolo e intentando tirárselo, tengo que hacer un esfuerzo para no liarme a tiros.

—O sea que tú eres de las que opinan que «ojos que no ven, corazón que no siente»…

—No, pero soy de las que opinan que no se puede estar espiando ni atando corto a la persona a la que amas. Sé que me quiere, pero también sé que si un día deja de quererme y decide largarse con una de esas golfas no lo voy a evitar por mucho que le vigile.

—¿Y nunca tienes celos?

—Los celos no son más que un complejo de inferioridad, querido jefe. Y yo ya soy lo suficientemente pequeña como para permitirme ese tipo de complejos.

Echaba de menos salir de noche a buscar negros.

La necesidad de ponerme en peligro se había convertido casi en un vicio, acrecentado por el hecho de que día a día aumentaba el número de pateras que llegaban a las islas y eran cientos los desgraciados que se ahogaban a la vista de la «tierra prometida».

Recuerdo con especial horror una fotografía que publicó la prensa en la que aparecía una pobre mujer sentada en la playa contemplando el mar a la espera de que los buceadores recuperaran el cadáver de su esposo y de su hijo; creo que nada me ha impresionado nunca tanto como la mirada de desolación de aquella desamparada criatura que se había quedado sin nada de cuanto poseía justo en el momento en que creía que al fin una nueva vida se abría ante ella.

Jugar y perder siempre es terrible, pero jugárselo todo, incluida la vida de tu marido y tu hijo, y perderlo, es algo que sin duda no tiene nombre ni forma alguna de expresarse.

Algunas noches cargaba de víveres y combustible mi vieja y pesada embarcación y salía a la búsqueda de nuevas pateras, pero sabía que me arriesgaba a que, si me apresaban, me acusaran no solo de tráfico de personas, sino, lo que es peor, de tráfico de drogas.

Canarias se ha convertido en la puerta de entrada a Europa de la cocaína colombiana, y me consta que los «barcos nodriza» se aproximan continuamente a sus costas con el fin de traspasar a pequeñas embarcaciones como la mía su repugnante carga.

El solo hecho de que alguien pudiera imaginar que estaba involucrado en tan abominable negocio me revolvía el estómago, por lo que admito que con frecuencia el miedo, no al mar y sus peligros, sino a la policía y sus falsas sospechas, me obligaba a quedarme en tierra.

Luego, tumbado en la cama, no podía evitar pensar en la posibilidad de que en aquellos mismos momentos algún niño se estuviera ahogando porque yo me comportaba como un cobarde, y eso me obligaba a permanecer con los ojos abiertos hasta la llegada de la primera luz del día.

La mala conciencia siempre ha sido una pésima compañera de cama, incluso en los casos, como el que ahora nos ocupa, en que esa mala conciencia viene dada porque alguien se empeña en echarse a la espalda problemas que en realidad no le afectan.

¿Quién era yo para erigirme en paladín de los náufragos?

¿Quién me había nombrado salvador de infelices?

El mundo no es más que una gigantesca nave de injusticias que navega a la espera de que el peso de tales injusticias acabe por hundirla, y nadie que pretenda remediar lo irremediable puede aspirar a dormir en paz consigo mismo.

El egoísmo es sin lugar a dudas el mejor fármaco contra el insomnio y la coraza que nos protege de las mil agresiones que a diario padecemos por una u otra razón.

A menudo me maldecía por estar regando con tanto mimo el árbol de mi propia desgracia.

A duras penas había conseguido superar mis traumas físicos, y he aquí que, paso a paso, me empantanaba en un océano de arenas movedizas sobre las que resultaba imposible levantar un edificio que se mantuviera en pie.

La continua presencia de Mubarrak, el muchachito saharahui al que había salvado tiempo atrás, me recordaba una y otra vez mi cobardía; pese a que jamás pronunciaba una palabra al respecto, el simple hecho de verle me obligaba a recordar a los muchos que como él se jugaban la vida cada día enfrentándose a los mil peligros del mar.

Le había conseguido un trabajo de chico para todo en un restaurante de Famara, a unos dos kilómetros de distancia, pero en cuanto tenía un rato libre solía venir a verme, siempre a la carrera, puesto que, más que un ser humano, parecía un galgo incansable.

Tal era su agradecimiento que barría la casa, fregaba los platos, cargaba la barca o me traía del pueblo cuanto necesitaba y lo hacía con tan sincero entusiasmo que me resultaba del todo imposible hacerle comprender que había momentos en los que prefería quedarme a solas.

Era miembro de una tribu nómada que, según él, siempre había sido fiel aliada de los españoles durante los años de nuestro protectorado en el desierto, hablaba un castellano bastante aceptable y creo que en toda mi vida no he conocido a nadie tan atento y servicial, siempre dispuesto a ayudar aunque sin perder por ello el natural orgullo de guerrero del desierto.

Su sueño era obtener «papeles» que legalizaran su situación, trabajar duro y reunir el dinero suficiente para traerse a su madre y sus hermanas, que al parecer vivían en una miserable tienda de pelo de camello en el campo de refugiados del Frente Polisario en Tinduf; no tenían más sustento que el que les proporcionaban media docena de cabras esqueléticas, puesto que tanto su padre como sus hermanos mayores habían muerto en enfrentamientos con las tropas marroquíes durante una cruel, oscura, injusta e interminable guerra que todo el mundo se empeñaba en ignorar.

—Con lo que se tira cada noche en el restaurante donde trabajo, mi familia viviría un mes —comentó un día—. ¿Por qué unos tienen tanto y otros tan poco? —preguntaba a continuación.

—¡Escucha...! —no pude evitar responderle—. En lo que yo tardaría en llegar, agotado y resoplando, a Famara, tú irías y volverías corriendo a Arrecife sin apenas despeinarte. ¿Por qué unos tienen tanto y otros tan poco?

—Comer es más importante que correr —me replicó.

—No en el caso de que te persiga un león —le hice notar.

Tenía una risa fácil y contagiosa, y lo cierto es que llegó un momento en que cuando no venía a verme notaba su ausencia.

Si coincidía con los días libres de Fulgencia nos entreteníamos jugando al parchís o charlando durante horas; mientras ella relataba las penurias de una infancia que había transcurrido en un altiplano andino azotado por un viento helado que podía congelarla en cuestión de minutos, él contaba las dificultades de la vida en un desierto barrido por un viento abrasador en el que la muerte acechaba de igual modo a cada instante.

Eran seres de dos mundos muy opuestos: en uno de ellos se alcanzaban a menudo los treinta grados bajo cero, y en el otro, los cincuenta sobre cero.

—Las mañanas que había suerte —comentó en cierta ocasión Fulgencia—, mi madre nos daba un plato de gachas de maíz y media patata que se había pasado la noche asándose lentamente junto a un fuego hecho con excrementos de llama, por lo que olía a diablo y en cuanto el sol aparecía en el horizonte, tenía que ir a la puna en busca de hierba para el ganado.

—¿Qué edad tenías? —quiso saber Mubarrak.

—Unos seis o siete años.

—A esa edad yo llevaba a las cabras y los camellos a los pastos, pero la mayor parte de las veces lo único que había comido era medio cuenco de leche.

—A media mañana —continuó ella—, el sol, a más de cuatro mil metros de altitud y cayendo a plomo, descongelaba los charcos, por lo que la zona se convertía en una inmensa laguna fangosa en la que se me hundían los pies; a menudo me quedaba atrapada largo rato.

—A media mañana, en el desierto, la arena abrasa como si fueran carbones en la hoguera.

—Más tarde, en el altiplano cubierto de agua comenzaba a surgir un vaho denso que convertía el lugar en una sauna e impedía la visión.

—Donde yo vivo el calor es tan seco que parece que surja de la boca de un horno...

Yo les escuchaba hablar de las inclemencias de sus lugares de origen y me preguntaba por qué extraña razón el destino les había hecho coincidir en una isla en la que jamás se daba la circunstancia de que hiciera demasiado frío o demasiado calor por lo que no me costaba el menor esfuerzo entender que para ellos un lugar donde además tenían un trabajo digno y la posibilidad de comer cada día era ciertamente la antesala del paraíso.

Al fin y al cabo, también lo había sido para un tullido.

En el fondo, los tres éramos iguales.

El mal llamado «laboratorio» era en realidad un enorme cobertizo con todo el aspecto de un abigarrado vivero de plantas exóticas, abierto a un jardín en el que proliferaban infinidad de cactus de todas las formas, colores y tamaños, por lo que el desconcertado Antonio Lombardero, que estaba encaramado en un alto taburete junto a la mesa sobre la que descansaban dos relucientes microscopios, concluyó mientras negaba una y otra vez con la cabeza:

—Aquí hay algo que no encaja.

—¿Y es?

—No lo sé.

—¡Pues sí que estamos buenos!

—¡Escucha, enana! —masculló el policía—. Si supiera qué es lo que no encaja, encajaría. —Hizo un amplio gesto a su alrededor—. ¿Qué ves?

—Púas por todas partes —masculló, malhumorada, Alanis Bermejo—. Tanto cactus tan mal distribuido hace que te arrees un pinchazo en cuanto te descuidas. Esto, más que un laboratorio, parece el palacio de un faquir.

—¡Exactamente! —admitió su jefe—. Hay muchas macetas, muchas púas y un montón de archivos en los que se recoge día a día el comportamiento de cada una de esas plantas y cómo van reaccionando a los distintos injertos o a los más diversos tratamientos. Todo muy detallado y muy preciso.

—Desde luego... —se vio obligada a reconocer la diminuta pelirroja—. Resulta evidente que los Ojeda eran extremadamente meticulosos y se tomaban muy en serio su trabajo.

—¿Qué trabajo?

La muchacha, que conocía muy bien a su superior por lo que de inmediato captaba cuándo estaba hablando con doble sentido, cogió un taburete idéntico al que ocupaba, fue a instalarse frente a él y preguntó, arqueando las cejas como si estuviera sometiéndole a un supuesto interrogatorio policial:

—¡Aclárese, joven! —casi gruñó—. ¿Qué trata usted de insinuar que yo no sepa?

—No insinúo nada —replicó su interlocutor siguiéndole el juego—. Tan solo le pregunto, señorita agente, a qué trabajo se refiere.

—Está claro que se dedicaban a investigar cactus, cochinilla y chorradas por el estilo.

—Y sobre el origen de la vida... ¿O no?

—Eso también.

—En tal caso, y si por lo visto los Ojeda era tan meticulosos como parece, ¿dónde coño se encuentran las notas y los archivos correspondientes a tan importante investigación?

—¡Anda carallo!

—Eso mismo digo yo. ¡Anda carallo! Alguien dedica años de esfuerzo a estudiar un tema de tanta importancia como la razón por la que los seres vivos estamos vivos, pero no deja ni una sola anotación sobre lo que ha hecho...

—Tal vez lo guardaban en la cabeza.

—No me lo creo.

—Tampoco yo.

—No es creíble porque cuanto vemos nos demuestra que no era esa su forma de trabajar —señaló convencido el jefe de policía de Lanzarote, que había comenzando a rascarse una vez más la calva—. Recuerdo que la vieja Montagut, la difunta Soledad Miranda, y algunos de los otros «sabios» que el diablo confunda, comentaron en más de una ocasión que habían estudiado las notas de los Ojeda y no albergaban dudas sobre la lógica de sus conclusiones.

—¿Y dónde están esas notas?

—Eso es lo que me gustaría saber, porque desde la noche de autos nadie ha tenido acceso a la casa sin mi consentimiento, por lo que nadie ha podido sacar de aquí ni un solo papel.

—De lo cual se deduce que probablemente el asesino, asesina o asesinos, se llevaron las notas y los apuntes que hacían referencia a las investigaciones sobre el origen de la vida.

—¡Elemental, querido Watson!

—Y de ello se infiere que ese era el auténtico móvil del crimen.

—A no ser que el culpable fuera tan jodidamente astuto como para llevárselos con el único fin de hacer que llegáramos a esa misma conclusión, con lo cual conseguiría que dejáramos a un lado cualquier otra pista.

—¡No me jodas!

—Para eso te basta con Rayco —fue la humorística respuesta—. Lo cierto es que esos documentos existían y que alguien se los llevó, pero como no sabemos qué otra clase de documentos había nunca podremos saber si desaparecieron de igual modo o cuál era su contenido.

—De lo que se deduce que seguimos estando como al principio.

—O peor.

—¡Pues qué bien! ¿Y cuál es la buena noticia?

—No hay buenas noticias.

—Me lo temía.

Antonio Lombardero extrajo del bolsillo superior de su camisa un diminuto teléfono móvil y un papel cuidadosamente doblado, se caló las gafas, consultó el papel y marcó un número al tiempo que comentaba:

—Veamos si el marimacho consigue aclararnos algo… —Aguardó a que le contestaran para cambiar el tono de voz e inquirir con una amabilidad impropia de su natural forma de comportarse—: ¿Señora Montagut…? Encantado de saludarla; soy Antonio Lombardero, de Lanzarote… ¿Por casualidad recuerda usted cómo eran y dónde se encontraban los informes sobre el famoso origen de la vida…? Entiendo. ¡Muchas gracias!

Se volvió de nuevo a su subordinada y señaló:

—Eran cuatro libretas grandes, cuadriculadas, con tapas negras y papel amarillento; la gruñona asegura que siempre las vio y estudió sobre esta mesa, junto a los microscopios.

—Pues resulta evidente que aquí no están —reconoció la pelirroja lanzando una desconcertada mirada a su alrededor.

—Ya me había dado cuenta.

—¿Y ahora qué hacemos?

—Lo de siempre… —reconoció sin el menor rubor un calvo que parecía más abatido que nunca—. El gilipollas.

—¿Tú crees que esas libretas son tan importantes como para que le hayan costado la vida a tres personas?

Al fin y al cabo, no se trata más que de una simple teoría científica que no se podrá sacar a la luz pública.

—Eso es lo que más me desconcierta, pequeña —admitió el policía en un tono que evidenciaba lo confundido que se encontraba—. No se trata de joyas, ni dinero, ni documentos de gran valor o que puedan comprometer a alguien. Se trata de unas vulgares notas de laboratorio que tal vez demuestran algo que algunos científicos ya venían afirmando desde hace tiempo: que no somos más que una serie de compuestos químicos que han ido evolucionando a lo largo de milenios. ¿Quién diablos se arriesgaría a pasar el resto de su vida en la cárcel por robar algo así?

—¿Un loco?

—Achacar a la locura aquello que no logramos entender no es más que reconocer nuestra propia incapacidad de razonar con cordura. Alguien capaz de entrar en una casa, degollar a dos personas, robar unos documentos y largarse sin dejar rastro no puede estar loco.

—Se han dado casos de locos muy inteligentes, y de hecho suelen ser los que actúan con más frialdad y precisión.

—Eso es cierto… —admitió Antonio Lombardero al tiempo que se ponía en pie como dando por concluida la conversación—. La historia de la criminología está repleta de locos astutos, pero a mi modo de ver siempre han actuado por motivos pasionales, y no creo que pueda existir pasión de ningún tipo en unos cuadernos de notas por más que se refieran al mismísimo origen de la vida.

Formábamos un grupo muy bien avenido y admito que por aquel tiempo me sentía realmente a gusto y despreocupado, pero las cosas comenzaron a cambiar el día en que al ir a buscar una hélice de repuesto para mi barco, aprovechando la de una falúa que habían desguazado en Órzola, casi me tropecé con una excavadora que estaba abriendo un nuevo tramo de carretera en el Malpaís del Corona, y que se había detenido porque acababa de dejar al descubierto la entrada de un tubo volcánico desconocido hasta el momento.

Yo sabía muy bien que el gigantesco tubo de lava de varios kilómetros de largo del Corona, el mayor de los incontables volcanes que se pueden encontrar en la isla de Lanzarote, había dado origen a los Jameos y que en su interior había incluso un auditorio, pero jamás se me había pasado por la mente la idea de que bajo la gruesa capa de magma solidificado por la que transitaba con frecuencia pudieran existir otros tubos volcánicos más pequeños y absolutamente desconocidos.

Me llamó mucho la atención, y cuando una semana más tarde volví a pasar por el mismo lugar y advertí que nadie había mostrado el menor interés en el curioso descubrimiento, saqué del portaequipajes una de las linternas que suelo utilizar para pescar de noche y entré a echar un vistazo.

Los primeros metros se me antojaron muy incómodos, demasiado estrechos y sinuosos, lo que a punto estuvo de hacerme desistir de mi estúpido empeño.

Eso debió de ser lo que les ocurrió a quienes lo descubrieron, razón por la que nunca se adentraron más de diez metros en él, pero de improviso el espacio se abrió y me encontré inmerso en la oscuridad, el calor y el aire enrarecido de un lugar que, según parecía, nadie había visitado anteriormente.

Es extraña la sensación que se experimenta al saber que se es el primero en algo, y resulta fascinante notar cómo se *dispara la adrenalina a medida que avanzas a través de las tinieblas e imaginas que cualquier monstruo prehistórico surgirá dispuesto a devorarte, o el suelo cederá bajo tu peso y te precipitará a un abismo que se abrirá hasta las mismas entrañas del volcán.*

El miedo puede llegar a ser tan atractivo como el sexo, el alcohol o las drogas, y la mejor prueba de ello son los millones de espectadores que pagan una entrada en el cine con el único fin de sentir terror.

Aquel fue un día ciertamente inolvidable.

El aire se espesaba por momentos y la sensación de sofoco iba en aumento, hasta el punto de que llegué a temer que no sería capaz de regresar sobre mis pasos; pese a ello, continué internándome en lo que se me antojaba la antesala del infierno o el sendero que conducía directamente al centro de la Tierra, hasta que al cabo de lo que pareció una eternidad desemboqué en una amplia sala en la que no había más que media docena de charcos o pozas que contenían una especie de fango viscoso.

Admito que aquel brusco final de la excitante aventura constituyó una gran decepción.

—Ya le dije el otro día que no conozco a nadie que se relacionara con ellos, pero anoche recordé que en ocasiones Leonor me traía grandes meros que por lo visto les regalaba un pescador amigo de Damián. A ella no le gustaba cocinarlos porque aseguraba que luego la casa apestaba, pero parece ser que a su marido le preocupaba ofender a quien se los había regalado si rechazaba el obsequio.

—¿Un amigo pescador? —repitió, decepcionada, Alanis Bermejo—. En esta isla deben de existir docenas de pescadores, y que yo sepa los pescadores no suelen ir por ahí matando gente.

—En efecto... —admitió la buena mujer en un chapucero castellano con marcado acento alemán—. Los pescadores tienen fama de ser unos tipos más bien pacíficos, pero desde un principio me percaté de que todos los meros que me regalaba Leonor estaban agujereados.

—¿Agujereados? —repitió la pelirroja temiendo no haber entendido a qué se refería la vecina de los Ojeda—. ¿Qué significa eso de que estaban agujereados?

Su interlocutora, que llevaba más de quince años en la isla, pese a lo cual no conseguía pronunciar correctamente las erres e intercalaba muchas palabras alemanas, hizo un significativo gesto apuntando con su dedo índice hacia la mano contraria.

—Agujereados —insistió—. Atravesados... ¿cómo se dice? ¡Ah, sí, ya sé! Arponeados.

—¿Arponeados? —se sorprendió la pelirroja—. ¿Quiere decir que no se habían pescado con anzuelo, sino cazados con un fusil de pesca submarina?

—¡Exactamente! Cuando los compro en la pescadería, los meros, los abadejos o cualquier otro tipo de pescado están siempre enteros, pero todos los que me traía Leonor presentaban siempre una marca de arpón.

—¿Está segura?

—Completamente.

—¿Y no podía tratarse de una cuchillada?

—¡Señorita! —replicó su interlocutora, de manifiesto mal humor y dando por concluida la conversación—. Yo soy alemana y puede que no hable bien su idioma, pero no soy tonta y sé distinguir entre la marca alargada que deja un cuchillo y la marca, redonda, producida por un arpón.

El comisario Antonio Lombardero estaba almorzando en un pequeño restaurante de la playa cuando Alanis Bermejo tomó asiento frente a él, bebió un largo sorbo de su cerveza y dijo, orgullosa de sí misma:

—Damián Ojeda tenía un amigo aficionado a la pesca submarina al que por lo visto visitaba con cierta frecuencia. Debía de ser muy buen pescador porque continuamente le regalaba meros de más de cinco kilos, y hoy en día esos bichos no se encuentran a menos de quince o veinte metros de profundidad.

—En Lanzarote está prohibida la pesca submarina.

—No en la costa de barlovento.

—¿Quién lo dice?

—Yo, que me he informado. No son más de una docena, incluida una mujer, los pescadores capaces de descender a pulmón libre a más de veinte metros de profundidad y mantenerse allí el tiempo que se necesita para arponear un mero.

—¿Y si lo hacen con botellas de aire comprimido?

—Nadie se arriesga porque la Guardia Civil vigila que las normas se cumplan.

—Si se trata de nuestro hombre no creo que le preocupe mucho lo que pueda opinar la Guardia Civil.

—En eso te equivocas —replicó, segura de sí misma, la pecosa Alanis Bermejo—. Por lo que sabemos, nuestro hombre lleva años pescando, puesto que lleva años regalándole esos meros a los Ojeda, por lo que si lo hiciera ilegalmente la Comandancia de Marina lo tendría fichado. Y los pescadores de anzuelo son los más interesados en denunciar a ese tipo de infractores que arrasan con todo. —La muchacha sonrió apenas pero se la notaba feliz cuando añadió con un picaresco mohín—: Ya he comprobado que en los archivos de la Comandancia de Marina no figura nadie que haya cometido esa clase de delitos durante los cinco últimos años.

—Me gusta que te tomes en serio tu trabajo —señaló Antonio Lombardero pellizcándole con paternal afecto la mejilla—. Si sigues por ese camino te propondré para un ascenso.

—Ningún ascenso me alegrará tanto como atrapar a ese hijo de la gran puta, pero se agradece el ofrecimiento.

—¿Has interrogado ya a los posibles «sospechosos»?

—De momento solo a tres; a mi modo de ver no parece que tengan nada que ver con el asunto, pero tengo localizados a la mayoría.

—¡Ve con cuidado! Cítalos en comisaría y si alguno de ellos no se presenta y tienes que ir a buscarle, que te acompañe Palomino.

—¡Sé defenderme! —protestó casi ofendida la pelirroja—. Eso sí que me lo enseñaron en la academia.

—¡Escucha, enana! —señaló su jefe cambiando el tono de voz, que se volvió severo y casi autoritario—. En la academia te enseñaron a defenderte de macarras, borrachos y camellos de poca monta, pero no de alguien que ha cortado el cuello a sangre fría a dos personas y quizá haya arrojado por un precipicio a una tercera. Ese tipo debe de ser muy listo porque de lo contrario no estaríamos dando palos de ciego.

—En eso tienes razón, ya ves tú.

—¡Naturalmente que la tengo! O sea que lo que te he dicho no es una recomendación; es una orden. Si tienes que ir a alguna parte que te acompañe Palomino, que ese sí ha demostrado que sabe defenderse, o te meto un paquete que te cagas. Un muerto más y me cuesta el empleo.

—El que manda, manda.

El comisario Antonio Lombardero se pasó la mano por la calva hasta dar, ya casi en la coronilla, con un minúsculo cabello que había crecido allí tan solitario y despistado como un ciprés en mitad del desierto, y tras arrancárselo y observarlo como si le asombrara su existencia, comentó:

—Pues no lo olvides, porque sabes muy bien que no me gusta mandar, pero menos me gusta que no me obedezcan. Y este asunto ya me ha dado suficientes quebraderos de cabeza.

—¿De verdad crees que vamos por el buen camino?

—¿Y qué quieres que te diga, pequeña? La experiencia me ha enseñado que a menudo el buen camino no te lleva a ninguna parte, pero que uno malo que has tomado por error desemboca de improviso en el punto al que querías llegar. Pese a todas las novelas que hayas podido leer y las películas o documentales que hayas podido ver sobre la supuesta astucia de los detectives y los portentosos adelantos de la moderna criminología, este sigue siendo un puñetero oficio en el que más vale un golpe de suerte que un año de minuciosas investigaciones.

—O sea que, como solía decir Napoleón, «Más vale un capitán con suerte que un mariscal inteligente».

—No sabía que hubiera dicho tal cosa.

—Tampoco yo. Me lo acabo de inventar, pero lo cierto es que suena bien.

Salí del tubo volcánico decepcionado, creo que ya lo he dicho, pero de vuelta en casa, sentado de noche frente al mar, no pude evitar preguntarme de qué estaría compuesto aquel extraño lodo viscoso y maloliente.

Me considero un gran observador, creo que eso también lo he dicho, y Ciencias Químicas fue la primera carrera en la que me doctoré con las notas más brillantes que nadie haya obtenido jamás. Matrícula de Honor en casi todas las asignaturas.

Siempre he sentido una verdadera pasión tanto por las matemáticas como por la química, ahora también por la informática, pero por más vueltas que le daba no conseguía encontrar una explicación lógica al hecho de que en el interior de una cueva de lava solidificada se hubieran podido formar aquellos sorprendentes charcos.

Supongo que nadie me creerá, pero juro, y no soy hombre aficionado a los juramentos, que durante algunos días experimenté la extraña sensación de que aquellas inquietantes pozas me reclamaban.

«Estamos aquí —decían—. Te hemos esperado durante cientos, tal vez miles de años, y ahora que nos has descubierto no tienes derecho a abandonarnos.»

No me importa que piensen que estoy loco; aborrezco a todos aquellos que no endulzan su vida con unas gotas de locura puesto que por lo general la extrema cordura no conduce más que al lugar al que ya han llegado con anterioridad millones de otros cuerdos.

Las grandes hazañas y los descubrimientos más brillantes suelen realizarlos seres humanos fuera de lo normal; visionarios que se negaron a seguir las normas establecidas y a los que sus contemporáneos hubieran preferido encerrar entre cuatro paredes para no tener que avergonzarse de su propia mediocridad.

No es que me considere un visionario, mi egolatría no alcanza a tanto, pero llega un momento en la existencia, sobre todo cuando las cosas marchan monótonamente bien, en el que necesitamos escapar de la rutina e ir en busca de un sueño que rara vez consigue convertirse en realidad, pero que siempre resulta una opción preferible a carecer de sueños.

De niño solía decirme a mí mismo que, de no haber sido por mis limitaciones físicas, hubiera renunciado a todo con tal de convertirme en uno de esos exploradores que recorren las selvas y los desiertos; de adulto cumplí parte de tales ilusiones al adentrarme en los misterios del portentoso mundo de las profundidades marinas, y ahora, ya en plena madurez, se me presentaba la oportunidad de enfrentarme a la inquietante aventura de investigar en el interior de una cueva cuyo solo recuerdo me ponía los pelos de punta.

Aún me pregunto si lo que me impulsó a regresar fue la excusa de averiguar algo sobre aquellos misteriosos lodos, o el enfermizo deseo de volver a experimentar el terror de adentrarme en las entrañas del volcán, allí donde el silencio era tan absoluto que podía oír cada latido de mi alterado corazón.

De nuevo el miedo que me asaltaba a menudo cuando esperaba la llegada de una patera en mitad de la noche; de nuevo la insensatez de disfrutar con una brutal descarga de adrenalina semejante a la que debe de experimentar un paracaidista al lanzarse desde un avión a más de mil metros de altura, o un cazador al enfrentase a una fiera salvaje en el corazón de África.

A veces me he preguntado por qué razón nadie ha decidido escribir una tesis doctoral sobre el hecho, a mi modo de ver incuestionable, de que el primer impulso lógico del ser humano es el de la supervivencia, pero el segundo es sin duda la irracional necesidad de poner en peligro su vida.

Si pudiéramos hacer un recuento, quizá llegaríamos a la sorprendente conclusión de que a lo largo de la historia ha muerto más gente por el deseo de arriesgarse sin la menor necesidad, que por las guerras, por cruentas que hayan sido.

Durante los cortos períodos de paz de que ha disfrutado la humanidad, millones de seres humanos han muerto por su afición al peligro, y el único consuelo que les queda es saber que por lo menos eligieron libremente el modo de marcharse de este mundo, sin que nadie les obligara a hacerlo mientras intentaban matar a sus semejantes.

Optar por una determinada forma de desaparecer es uno de los escasos privilegios que nos concede la naturaleza pese a que la mayoría de las religiones se nieguen a aceptarlo y condenen el suicidio.

Por qué esas religiones se oponen a algo que el Creador nos concedió al otorgarnos el sagrado derecho del libre albedrío es algo que jamás he entendido, pero como al fin y al cabo por aquel tiempo yo no creía en un Dios que había permitido que un inocente naciera disminuido frente a sus semejantes, tampoco era un problema que me quitase el sueño.

Al regresar a aquella gruta amenazante y angustiosa no andaba buscando la muerte, eso puedo asegurárselo, pero pensé que si la vida era el precio que estaba obligado a pagar por experimentar una vez más tan intensas sensaciones no se me antojaba en absoluto excesivo.

Llevé conmigo varios frascos, pasé la noche allí dentro y a la mañana siguiente regresé con muestras de lodo de cada uno de los charcos.

Ese día empezó todo.

La pista, aunque prometedora, no conducía a parte alguna.

Alanis Bermejo y el comisario Lombardero recibieron en sus respectivos despachos a todos los pescadores submarinos de la isla: una marimacho italiana, que más parecía una foca que un ser humano, así como diez o doce jovenzuelos conocidos popularmente como «los Vagos Salados» cuya única ocupación reconocida parecía ser pescar a gran profundidad los días en que el mar se mostraba tranquilo, o «coger olas» los días en que estaba agitado.

Cuando se les mencionaba cualquier tema relacionado con el origen de la vida se quedaban como alelados, aunque uno de ellos replicó que ese origen debía de encontrarse en la posibilidad de «echar buenos polvos sin utilizar condones», cosa harto difícil en los tiempos que corrían, visto que las chicas se habían vuelto excesivamente precavidas.

Ninguno de ellos admitió conocer personalmente a los Ojeda, aunque naturalmente sabían quiénes eran, puesto que en la isla no se hablaba de otra cosa desde el día en que aparecieron muertos.

La foca italiana, que los fines de semana solía trabajar en una peluquería de Playa Blanca, creía recordar que casi un año atrás le había hecho la permanente a la difunta, pero no se atrevía a asegurarlo por miedo a equivocarse.

—Podría darse el caso de que nuestro hombre no pescase esos meros personalmente sino que se los comprara a alguien —masculló Alanis Bermejo cuando acabó de entrevistarlos a todos, pero resultaba evidente que no parecía demasiado convencida—. En ese caso tendríamos que volver a convocarlos para pedirles que nos hicieran una lista de a quién venden lo que capturan.

—¡Joder…!

—¿Se te ocurre una idea mejor?

—Te lo dije en su día: llamar a alguien que sepa de estas cosas.

—Se supone que nosotros sabemos. Somos profesionales.

—¡Escucha, enana! —le espetó, decepcionado, su jefe—. Conozco a un mecánico que arregla cualquier coche normal en un abrir y cerrar de ojos. Es un auténtico manitas, pero estoy convencido que si le llevara un Ferrari no sabría ni dónde tiene el motor. No pretendo ofenderte, puesto que al hacerlo me ofendo a mí mismo, pero todo aquel que no admite cuáles son sus limitaciones se arriesga a cometer errores irremediables. Lo más probable es que, debido a nuestra ineptitud, el maldito asesino se encuentre ya en Pekín.

—¿Significa eso que te das por vencido?

—¿Acaso no te has dado cuenta de que hace tiempo que me di por vencido? Nunca he creído en esa historia del misterioso pescador submarino, y dudo que ni aunque consiguiéramos encontrarlo resolviéramos el caso.

—Por lo menos es una pista.

—¡No seas ilusa! —refunfuñó el calvo—. ¿Qué coño tienen que ver los meros o los abadejos con tres asesinatos?

—No lo sé, pero algo me dice que no andamos descaminados.

—¿Intuición femenina?

—¡Llámalo como quieras!

—¡De acuerdo! —admitió Antonio Lombardero—. Pero a partir del jueves tendrás que arreglártelas sola.

—¿Qué quieres decir?

—Que yo me largo.

—¿Adónde? —se sorprendió la pelirroja, visiblemente alarmada.

—A mi pueblo.

—¿A Chinchón?

—¡Exactamente! Hace dos años que no cojo vacaciones y este es el mejor momento.

—Pues a mi modo de ver es el peor momento —protestó ella—. ¿No puedes esperar a que todo este lío se aclare?

—¡Querida mía! —sentenció Lombardero—. Presiento que este lío no se va aclarar nunca, y yo tengo cosas urgentes que hacer. —El policía se rascó la calva, pero en esta ocasión ni siquiera se molestó en intentar buscarse un cabello, y concluyó como si ello lo explicara todo—: El sábado me caso.

La desconcertada Alanis Bermejo pareció haber recibido un violento golpe en la nuca, por lo que durante más de un minuto no supo qué decir. Al fin, casi con un hilo de voz preguntó:

—¿Y con quién te casas?

—Con Candela, naturalmente.

—¡Pero si os acaban de conceder el divorcio!

—Por eso mismo.

—¡Tú estás loco!

—¡En absoluto! —replicó su jefe con una burlona sonrisa—. Estoy más cuerdo que nunca. Candela me ha dado una prueba de su amor al aceptar el divorcio sin pedir nada a cambio, y yo quiero recompensarla con una gran ceremonia a la que asistan los chicos y todos nuestros familiares y amigos excepto tú, que tienes demasiado trabajo aquí. La otra fue una boda «de tapadillo» que no me gustó nada.

—¿Y ella lo acepta?

—Está encantada.

—¡No cabe duda de que «hay gente pa tó»! —masculló, indignada, la pelirroja, y lanzó un bufido—. A mí me haces eso y te mando a tomar por culo de por vida. ¡Qué ganas de complicar las cosas!

—¿Por qué? —replicó el otro con una alegre sonrisa—. No ha sido más que un sencillo papeleo que nos ha hecho felices a los dos.

—¡Anda y que te zurzan!

Dos días más tarde, y ya con un pie en la escalerilla del avión, el calvo no tuvo tiempo más que de darle un afectuoso beso de despedida al tiempo que le recomendaba:

—Ahora el caso queda en tus manos. Espero que a mi vuelta tengas las cosas más claras.

—¿Y qué quieres que haga? —casi sollozó la infeliz pelirroja, que se encontraba de improviso con una poco deseada «patata caliente» entre las manos—. Si esto nos iba demasiado grande a los dos, ¡imagínate cómo me queda a mí sola!

—¿Y qué puedo decirte? Hasta ahora no te he sido de mucha ayuda, ni creo que lo fuera en dos semanas, aunque te prometo que como tengo que ir casi diariamente a Madrid trataré de profundizar en algunas cuestiones que me rondan por la cabeza. Ten fe y recuerda que siempre he confiado en ti.

Era fácil decirlo.

Era fácil incluso entender que Antonio Lombardero tenía razón y que era poco probable que en quince días hubiera solucionado algo, pero ello no disminuía un ápice la evidencia de que un asesino andaba suelto y Alanis Bermejo carecía de los elementos de juicio necesarios para desenmascararlo.

Por ello, en cuanto el aparato despegó y se perdió de vista en la distancia, se limitó a sentarse en su coche, donde la asaltó una inevitable sensación de impotencia.

Se consideraba una magnífica ayudante; alguien capaz de obedecer una orden e investigar a conciencia en la dirección que le indicasen, pero de igual modo debía admitir que no tenía ni la preparación ni la experiencia necesarias como para desentrañar una trama tan compleja.

¿Por qué habían asesinado a los Ojeda?

¿Y por qué se había suicidado Soledad Miranda, en caso de que en verdad se tratase de un suicidio?

Se pasaba las horas buscando un vínculo de unión entre ambos casos y tan solo encontraba uno: aquella absurda y desconcertante teoría, que aún no había acabado de entender, sobre el origen de la vida.

Desde el comienzo de los tiempos, o desde la época de las pirámides y los faraones, cientos, tal vez miles de hombres y mujeres mucho más preparados que yo, han dedicado años de trabajo a la búsqueda del vínculo de unión entre la materia inanimada y la materia orgánica, o lo que resulta más sencillo de entender, entre lo que separa la vida de la muerte.

«Muerto está quien no respira» asegura un dicho popular, y tal como suele suceder con la mayor parte de los dichos populares, su lógica es tan aplastante que no admite discusión.

Yo no soy nadie frente a los grandes genios que se han interesado por este tema, pero en mi caso se dio eso que se suele llamar «el hombre justo en el sitio justo, en el momento justo».

Regresé del tubo volcánico con varios frascos que contenían muestras del lodo de sus pozas y debo admitir que lo único que hice fue dejarlas sobre una mesa puesto que, repito, en el fondo la decisión de ir a buscarlas no había sido más que la disculpa que me puse a mí mismo con el fin de revivir mi personal y solitaria aventura en el interior de la inquietante cueva.

No obstante, al cabo de poco más de una semana penetró por el sur uno de esos temporales de lluvia y viento poco habituales en la isla pero que, cuando hacen su aparición, son capaces de derribar palmeras o destrozar el rompeolas de un muelle, embarrar los caminos y convertir en ríos los barrancos y hasta las carreteras.

Se me inundó incluso la caseta del generador, por lo que me vi obligado a permanecer prácticamente encerrado en casa sin suministro eléctrico casi tres días por lo que al no poder trabajar con el ordenador, cuando me cansé de leer o de contemplar cómo las olas rompían con furia contra las rocas, decidí echarle un vistazo al material que había traído de mi solitaria expedición.

Caían rayos y centellas, resonaban los truenos, el viento aullaba en las ventanas amenazando con arrancarlas de cuajo y el rugido del mar era ensordecedor; ante tan desmadrada parafernalia cabría suponer que aquella era la magna sinfonía wagneriana con que la naturaleza pretendía anunciar que al fin, después de millones de años de mantenerlo oculto, estaba dispuesta a desvelar el mayor y mejor guardado de sus secretos.

Aunque admito que no supe comprenderlo.

Probablemente porque se trataba de un secreto de tan gigantescas proporciones que ni siquiera era capaz de imaginar que existía.

Me limité a observar a través del microscopio intentando determinar la composición de cada una de aquellas muestras que parecían ser ricas en sales sulfatadas de hierro y manganeso, calcio, fósforo, hidrógeno, jarosita o azufre. Lo único que me desconcertó fue advertir que en una de ellas se movía algo, aunque no le presté especial atención puesto que en realidad apenas se distinguía con claridad.

Recuerdo que un viejo profesor al que siempre admiré y al que debo mucho solía decir:

«Con frecuencia la memoria ve lo que los ojos no han visto.»

Tardé en comprender que no se refería a que la memoria imaginase haber visto cosas que en realidad no existían, sino a que esa memoria es capaz de retener una información en la que en un principio no hemos reparado.

Una semana más tarde estaba fotografiando una escorpena camuflada entre unas rocas a seis o siete metros de profundidad, cuando de improviso otra se movió tan cerca de mi mano que me asombró no haber sido capaz de advertir su presencia pese a tener constancia de que en aquel bajío proliferaban y podía haberme llevado un serio disgusto.

Aún no consigo explicar por qué razón mi mente asoció a un traicionero y venenoso pez que se mimetiza con su entorno con el extraño microorganismo que había estado observando a través del microscopio.

Por segunda vez, me olvidé de ello, pero al revelar las fotografías de la escorpena volvió a asaltarme la misma sensación.

Busqué la muestra de fango, la estudié con más detenimiento y el máximo de aumentos posible y, casi de inmediato, llegué a la conclusión de que los microorganismos, o lo que quiera que fuese lo que allí se movía, se habían multiplicado de una forma inusitada.

Nacían, se agitaban, se dividían en dos y morían en el transcurso de unas horas, sin que me fuera posible saber de qué demonios se alimentaban.

No me sentía capaz de determinar qué era aquello exactamente, pero no cabía la menor duda de que eran seres dotados de una muy particular forma de «vida».

Y lo más curioso del caso era que tan solo se encontraban en una de las muestras. Las que correspondían a los restantes charcos no indicaban signos de movimiento alguno.

¿Por qué?

Debo reconocer que me llevó casi un año de esfuerzo llegar a la conclusión de que aquellos misteriosos microorganismos, nunca vistos con anterioridad y sobre los que no encontré la menor referencia por mucho que indagué en infinidad de publicaciones especializadas, no habían llegado a aquel charco por casualidad, y que tampoco existía nada semejante en las proximidades; aquello significaba que, o llevaban allí miles de años, cosa poco probable dadas las altísimas temperaturas que se habían dado dentro del tubo volcánico, o habían nacido por generación espontánea.

Ambas posibilidades permitían pensar en un descubrimiento científico de gran alcance, pero consideré que antes de decidirme a hacerlo público tenía la obligación de averiguar por qué razón se había producido tan desconcertante fenómeno.

No soy biólogo y por lo tanto debía andarme con pies de plomo.

Sin embargo, me constaba que mi mejor amigo, aquel a quien había salvado de morir ahogado en Roque del Este, Damián Ojeda, sí era un excelente biólogo.

Cuando le pedí que echara un vistazo y me diera su opinión, alzó la cabeza del microscopio y me dirigió una larga mirada de desconcierto; creo que incluso se molestó porque pensó que intentaba gastarle una broma.

No obstante, al advertir mi seriedad se limitó a admitir que jamás había visto nada parecido, pero que a su modo de ver debía de tratarse de alguna primitiva forma de vida que tras permanecer mucho tiempo en un ambiente cerrado y en unas condiciones extremas de oscuridad, calor y humedad, había evolucionado hacia su aspecto actual.

Quise que me aclarara de qué demonios podían alimentarse pero no acertó a darme una respuesta, aunque me recordó que ciertas bacterias devoran piedras e incluso derivados del petróleo.

Decidí por tanto que aún no había llegado el momento de contarle a nadie más los resultados de mi trabajo, y que debía continuar investigando con el fin de conseguir una información mucho más detallada.

No era tarea fácil adentrarse, con una pierna más corta que la otra y un solo brazo realmente útil, en aquella intrincada cueva en la que me costaba un gran esfuerzo incluso respirar, y en la que recuerdo que sudaba de tal forma que en ocasiones llegaba a perder dos kilos de peso en un solo viaje, lo que para alguien con mi constitución física es una auténtica barbaridad.

Semejante trabajo exigía un esfuerzo brutal para un hombre con mis limitaciones, pero resolver aquel enigma se había convertido casi en una obsesión, convencido como estaba de que al fin podría demostrar que mis años de universidad habían servido para algo; me hallaba en disposición de aportar una pequeña novedad al mundo de la ciencia.

A partir de ese día ya no sería únicamente un pobre e inútil minusválido; aunque sin aspirar a la grandeza de aquel aún más minusválido que yo que, desde una silla de ruedas y sin más ayuda que un ordenador, había resuelto los grandes problemas del espacio exterior, soñaba con cierto reconocimiento a mi labor.

Por fin, una tarde en que estaba sentado en el interior de la cueva, reponiendo fuerzas con vistas al fatigoso camino de regreso a casa, advertí que una gota caía del techo y se precipitaba en la poza dotada de vida.

Fue entonces cuando reparé en la existencia de una pequeña estalactita que colgaba justo sobre ella.

No era la única que había en el alto techo, pero ninguna de las demás estaba situada exactamente sobre otro de los charcos; fue eso lo que, al cabo de mucho tiempo de reflexión, me llevó a la conclusión de que probablemente existía una relación entre las gotas que se deslizaban por ellas, y que la mayor parte de las veces se perdían en el suelo de lava, y la forma de vida que se había desarrollado en aquella poza en concreto.

Pero esa idea no surgió de una forma sencilla y natural, de eso nadie debe abrigar la menor duda.

Y no surgió porque al examinar las gotas que se deslizaban con una lentitud desesperante por las estalactitas, advertí que no existía en ellas, y probablemente nunca había existido, formas de vida de ningún tipo.

Sin embargo, cada vez que una de ellas caía sobre el fango, la vida que había en él se aceleraba de forma harto significativa.

¿Era de aquello de lo que se alimentaban?

Hice una prueba en mi laboratorio y el resultado fue ciertamente espectacular; los microorganismos, a los que, con una absoluta, total y descarada falta de modestia y cierto sentido del humor, había bautizado como Ramirus Escribanus, *comenzaron a multiplicarse como si se hubieran vuelto locos por lo que llegué a la conclusión de que el líquido muy rico en fósforo, verdoso y ligeramente amargo, que rezumaba del techo constituía su auténtica fuente de alimentación.*

Yo sabía que el fósforo conecta las bases genéticas de las moléculas, por lo que es fundamental en las cadenas de ADN y en la estructura del metabolismo de todo ser viviente, ya que forma parte de las paredes celulares y de los huesos de los vertebrados; y también sabía que, tras el carbono, el hidrógeno, el oxígeno y el nitrógeno, el fósforo es el elemento más importante para el desarrollo biológico, pero aun así estaba muy lejos de imaginar que podía constituir el origen de aquella particular forma de vida.

«Más vale capitán con suerte que mariscal inteligente.»

La frase, falsamente atribuida a Napoleón por ella misma, acudió a la memoria de Alanis Bermejo aquella noche, cuando se detuvo ante la iluminada nevera acristalada del restaurante al que acudía a cenar dos veces por semana. Mientras observaba de cerca, y tal como tenía por costumbre, la sorprendente variedad de pescados de todas las clases, formas y tamaños expuestos para que el cliente eligiese el de su preferencia, su vista reparó en un hermoso mero de unos ocho kilos de peso que mostraba la enorme boca abierta, pero mostraba de igual modo un negro agujero del grueso de un dedo que le atravesaba la cabeza de parte a parte.

—¿A quién se lo has comprado? —se interesó.

Celso, el siempre afable y sonriente propietario del «Puerto Bahía», se limitó a encogerse de hombros sin entender los motivos de tal curiosidad.

—Creo que me lo han traído de un restaurante de Orzola —replicó al poco—. En esta época del año en el norte de la isla suele haber mucha pesca, pero pocos turistas.

—¿Sabes cómo se llama el restaurante?

—No tengo ni la menor idea.

Al domingo siguiente, aquella a quien su jefe consideraba, y con sobrada razón, «más terca que una mula» decidió ir a almorzar a Orzola, pero en realidad se dedicó a recorrer sin prisas la media docena de restaurantes del diminuto puerto, hasta que en la vitrina de uno de ellos distinguió un hermoso abadejo que presentaba claras muestras de haber sido arponeado.

—Perdone… —dijo mostrando discretamente su placa al hombre que se afanaba en la cocina—. Me han encargado que investigue la denuncia de que alguien se dedica a la pesca submarina en aguas prohibidas. ¿Le importaría decirme a quién le ha comprado ese abadejo?

—A Justo el Lagarto. Y puedo garantizarle que no proviene de aguas prohibidas.

—¿Cómo puede estar tan seguro?

—Porque jamás se me ocurriría comprarle a alguien que no fuera de absoluta confianza. Me pueden cerrar el negocio por tres meses.

—¿Suele comprarle a alguien más que sea de su absoluta confianza?

—A Lina, la italiana. Una gorda que trabaja en una peluquería de Puerto del Carmen.

—La conozco y está libre de sospechas. ¿Alguien más?

—Al cojo Ramiro, aunque hace tiempo que no viene por aquí.

—A ese no le conozco. ¿Sabe dónde puedo encontrarle?

—Lo único que sé es que vive, casi como un ermitaño, cerca de Famara, al final del camino de tierra a la salida del pueblo. No tiene pérdida porque el camino acaba justo frente a su casa.

—Gracias.

Media hora más tarde, la pelirroja dejó atrás las últimas edificaciones del minúsculo pueblo marinero de Famara y continuó por lo que más parecía un sendero de cabras que de coches dando tumbos y maldiciendo por lo bajo, convencida de que cualquiera de aquellos puntiagudos pedruscos acabaría por reventarle un neumático, y nunca había aprendido a cambiarlos.

La sola idea de quedarse «tirada» en una infernal zona justamente llamada «el desierto de Sóo», la impulsó a tomar la decisión de detenerse y de continuar a pie, pese a que el violento sol de media tarde la hacía sudar, cosa que odiaba.

Recorrió así, acalorada y mascullando, poco más de un kilómetro, hasta que al coronar un pequeño altozano descubrió una estrecha hondonada en la que se alzaba, a poco más de veinte metros del mar, una curiosa pero en cierto modo atractiva edificación de piedra volcánica que casi se mimetizaba con las negras rocas que la rodeaban.

Una mujer muy morena, de poco más de treinta años, cuyo rostro le resultó ligeramente familiar, y que se afanaba pintando de verde una ventana, alzó la cabeza para observarla en silencio con una mirada interrogadora.

—¡Buenos días! —la saludó.

—¡Buenos días!

—¿Vive aquí un pescador llamado Ramiro?

Necesité mucho, muchísimo tiempo, para llegar a la conclusión de que aquel líquido verdoso y amargo tan rico en fósforo y en otros muchos componentes químicos era algo más que la fuente de alimentación de los Ramirus Escribanus.

Fueron largos meses de regresar una y otra vez a la cueva, de arrastrarme por la entrada, de cojear hasta el fondo sudando a chorros y de sentarme a esperar a que cayese la dichosa gota, que más que gota se me antojaba ya una interrogación para la que no encontraba respuesta.

Al fin, un día, y aún no me explico qué fue lo que me impulsó a hacerlo, decidí comprobar qué ocurriría si le añadía una de aquellas dichosas gotas a una muestra de fango de cualquiera de las otras pozas.

En ese justo momento se obró el milagro.

De improviso, y sin explicación lógica alguna, «nació» un microorganismo.

Yo estaba allí, con la cabeza inclinada sobre el microscopio, y ni tan siquiera fui capaz de erguirme y apartar por un instante la mirada; lo que estaba ocurriendo ante mis ojos no era ni más ni menos que la culminación de la obra de Dios, visto que él es el único que posee el poder suficiente como para crear vida partiendo de dos objetos muertos.

¡Qué golpe tan duro para las firmes convicciones de alguien que siempre había renegado de quien permitió que naciera tal como nací yo!

Tal vez hubiera podido considerar aquel prodigioso hecho como la negación de la existencia de un ser superior; un claro triunfo sobre la sinrazón de la fe ciega, pero lo cierto es que por una décima de segundo, intuí, más que comprendí, la prodigiosa inmensidad de la fabulosa obra del Señor.

A quien yo estaba viendo no era al dios de los cristianos, los judíos o los musulmanes; no era ni tan siquiera el dios de los hombres; era el dios de la inmensidad del universo, puesto que todos los elementos que al unirse habían dotado de vida a aquel minúsculo espécimen, no habían salido de la nada, sino que habían sido creados por Él.

Supongo que muchos no tendrán ni la menor idea de a qué me estoy refiriendo puesto que la mayor parte de las veces ni tan siquiera yo la tengo, pero lo que sí puedo asegurar es que daría mi mano sana por volver a experimentar aquella maravillosa sensación de clarividencia en la que, por un instante, Él se me mostró tal como era en realidad.

Alguien podría llegar a pensar que este sorprendente hallazgo contribuiría a transformar a los creyentes en incrédulos, pero lo cierto es que en mi caso —y de momento soy el único que puede hablar con conocimiento de causa— ocurrió todo lo contrario.

Tuve la impresión, y vuelvo a rogar que no me tomen por loco, de que por primera vez en miles de millones de años el Creador otorgaba al ser humano una facultad que hasta ese momento le había estado reservada en exclusividad: la de dar la vida partiendo de la nada. Quizá aquella concesión se convertiría en la primera de otras muchas concesiones de gran importancia para el futuro de nuestra especie.

¿Acaso el Ser Supremo había decidido que estábamos lo suficientemente maduros como para entender la inmensidad de sus secretos?

¿Acaso tan solo yo estaba autorizado a entenderlos?

Pensar tanto me confundía, por lo que llegué a la lógica conclusión de que necesitaba refrescarme las ideas y cambiar de actividad tras permanecer tanto tiempo entre probetas y microscopios.

Encontrar aquella sorprendente fórmula que podía significar el origen de la vida se había convertido casi en una obsesión, y reconozco que necesitaba enfrentarme de nuevo a la vida real en su forma más trágica: la de quienes se veían obligados a arriesgarla como única forma de supervivencia, treinta y dos de los cuales acababan de ahogarse al zozobrar su patera frente a las costas de Fuerteventura en el justo momento en que una patrullera de la Guardia Civil se aprestaba a auxiliarles.

Admito que la noticia me había afectado especialmente, ya que en cierto modo me sentía culpable de tales muertes por haber faltado a mi «obligación» de acudir en auxilio de aquellos que me necesitaban mucho más que unos minúsculos microorganismos que se las habían arreglado muy bien sin mí durante miles de años.

Cargué por tanto el barco de combustible, agua, víveres y termos de leche caliente; a media tarde le dejé una nota a Fulgencia en la que le comunicaba que estaría un par de días fuera, y me hice a la mar con la idea de colocarme, pasada ya la medianoche, en la ruta de las pateras que llegaban desde la costa africana.

El mar estaba en calma y hacía una temperatura muy agradable pese a que soplaba una ligera brisa del nordeste precursora de los siempre fieles vientos alisios que no tardarían en llegar puesto que nos encontrábamos a finales de septiembre.

Me sentía bien, de nuevo a la caña del Timanfaya, con un precioso gajo de luna nueva sobre la cabeza, escuchando el suave ronroneo de un motor perfectamente engrasado, el susurro del agua cortada por la proa, y notando en las yemas de los dedos el cosquilleo que precedía a la hermosa aventura que significaba la posibilidad de echar una mano, mi única mano útil, a un puñado de aterrorizados infelices.

Pensaba también en lo que ocurriría cuando me decidiera a sacar a la luz lo que consideraba un trascendental descubrimiento científico y trataba de imaginar qué cara pondrían aquellos que me habían menospreciado años atrás negándome un puesto de trabajo por considerarme un tullido.

E intentaba hacerme una idea de cómo reaccionaría la comunidad científica ante el hecho de que alguien con mis notorias limitaciones hubiera conseguido lo que nadie había logrado.

Soñaba.

Soñar despierto siempre resulta gratificante.

Incluso aunque los sueños nunca lleguen a convertirse en realidad, nadie puede despojarnos de los momentos de felicidad que nos han proporcionado.

La luna, una luna árabe, de las que aparecen en casi todas las banderas musulmanas, me sonrió al hacer su aparición tras una pequeña nube.

Me encontraba en paz con el mundo, pero tenía la impresión de que pronto ese mundo estaría en deuda conmigo.

Le iba a dar mucho más de lo que él nunca me había dado.

Aspiré a fondo el cálido aire de la noche.

De improviso, el motor rugió con más fuerza que nunca pero, al poco, lanzó un hondo suspiro y enmudeció.

La experiencia me dictaba que tan extraño comportamiento se debía a que algo se había enredado en la hélice, por lo que la máquina había hecho un supremo esfuerzo intentando conseguir que continuara girando a pesar del obstáculo, y al fin se había dado por vencida.

En un principio pensé que se trataba de una de las incontables bolsas de plástico que en los últimos años flotan por todos los mares del mundo, y que en algunos lugares, como en la punta del Papagayo, al sur de Lanzarote, son tan abundantes como las moscas en verano.

Busqué una linterna, me incliné sobre la popa y lo que descubrí me dejó de piedra; no se trataba de una simple bolsa de plástico; era un enorme pedazo de red de más de veinte metros de largo y unos cinco de ancho que se extendía tras el barco como una fantasmagórica estela azul. Había atrapado al Timanfaya al igual que podría haber atrapado a un atún, un tiburón, e incluso una ballena, puesto que su malla era tan gruesa que ningún animal de los océanos hubiera conseguido romperla.

¡Mierda!

Me apoderé del mayor y más afilado de los cuchillos, me incliné aún más sobre la borda e intenté cortar la red más resistente que había visto nunca. Pero al poco tuve que renunciar, puesto que en tan incómoda posición, y sujetándome tan solo con la mano imposibilitada, corría el riesgo de precipitarme de cabeza al mar sin apenas alterar aquella compacta masa de cables de teflón que parecían de acero.

Agotado, me tumbé en cubierta y me pregunté quién diablos habría fabricado tan resistente y diabólica trampa y la había perdido luego en la inmensidad del mar.

El cansancio y el convencimiento de que nada más podía hacer durante la noche consiguieron que me quedara profundamente dormido.

—Sí, aquí vive.

—¿Está en casa?

—No.

—¿Cuándo volverá?

—Eso es lo que todos quisiéramos saber.

La pelirroja Alanis Bermejo observó un tanto desconcertada a la mujer que continuaba pintando la ventana y cuyo rostro le resultaba cada vez más familiar aunque no conseguía ubicarla en su memoria, y al fin inquirió con un tono que pretendía ser ligeramente autoritario:

—¿Qué ha querido decir con eso?

—Supongo que usted es la primera que debería saberlo.

—¿Me puede aclarar a qué demonios está jugando?

—No juego a nada... —replicó su interlocutora con sorprendente calma—. Si no ha cambiado de oficio, usted es policía; viene preguntando por Ramiro, y la policía sabe, mejor que nadie, que Ramiro salió a pescar hace más de un mes y aún no ha regresado.

La diminuta muchacha se quedó por un instante visiblemente desconcertada, agitó un par de veces su hermosa cabellera rojiza, como si con ello pretendiera despejarse las ideas, tomó asiento en el banco de piedra que corría a todo lo largo de la fachada de la casa, y acabó por balbucear en un tono de absoluta incredulidad:

—¿Se trata de ese Ramiro?

—El mismo.

—Ramiro… —Trató de hacer memoria y al fin asintió una y otra vez segura de sí misma—. Ramiro Escribano. ¡Santo cielo! —exclamó—. Tiene razón; fui yo quien me encargué de coordinar su búsqueda con la Comandancia de Marina, la Guardia Civil y la fuerza aérea.

—¡Lo sé! Y le agradezco el interés que se tomó pese a que sus esfuerzos no dieran el resultado deseado.

—Con tanto jaleo como he tenido en estos últimos tiempos casi me había olvidado del caso. —La recién llegada hizo un gesto hacia el mar que se abría ante ellas y preguntó—: ¿Qué día desapareció?

—El veinticuatro de septiembre.

—Es cierto —admitió la pelirroja—. Fue por mi cumpleaños más o menos, aunque creo recordar que no denunciaron su desaparición hasta cuatro días más tarde.

—Es que a menudo Ramiro solía pasarse un par de días pescando y en un principio no me preocupó su ausencia.

—¿Es usted de la familia?

—¡Oh, vamos! —fue la casi agresiva respuesta—. ¿Cómo puede preguntar eso? Sabe muy bien que no tengo familia en Lanzarote.

Ahora sí que, desconcertada, Alanis Bermejo mostró a las claras que no tenía ni la más remota idea de a qué se estaba refiriendo, por lo que acabó por aproximarse con el fin de observar de cerca a su interlocutora; por fin asintió al tiempo que exclamaba:

—¡Ahora caigo! ¡Tú eres Yolanda la Peruana!

—En realidad me llamo Fulgencia.

—Fulgencia o Yolanda, ¿qué más da? Sigues siendo la Peruana. Me habían dicho que te habías retirado del oficio.

—Hace ya casi dos años.

—¡Estupendo! Aquel chulo tuyo, Boris el Ucraniano, es un auténtico hijo de mala madre al que tengo ganas de encerrar para el resto de su vida. ¿A qué te dedicas ahora?

—He montado un restaurante en Famara, La Cueva del Pulpo, justo frente a la playa.

—No sabes cómo me alegro. He oído que tiene un pulpo y unas lapas estupendas. Y que está muy bien de precio.

—Venga cuando quiera.

—Cualquier día de estos. ¡Me encantan las lapas! —Hizo un gesto señalando la ventana, la brocha y el bote de pintura que la otra había dejado en el suelo—. Pero ¿qué haces aquí? ¿Qué tienes que ver con Ramiro Escribano?

—Fue quien me ayudó a dejar el oficio, y me prestó el dinero para montar el restaurante.

—Entiendo.

—¡No! No creo que lo entienda —replicó su interlocutora—. Hace tiempo que para mí Ramiro es como un hermano.

—De todos modos, sea o no como un hermano, supongo que estarás muy afectada por su desaparición.

—No demasiado.

—¿Y eso?

—Sé que volverá.

—¿Después de casi mes y medio?

—El mar es su amigo.

La pelirroja observó a su acompañante como si en verdad estuviera loca; luego hizo un significativo gesto de desdén con la mano señalando la inmensidad azul que se abría ante ella.

—El mar no es amigo de nadie, querida. Lo sé porque mi novio es uno de esos «vagos salados» que se pasan la vida en el agua, y me consta que en cuanto se descuida le da un susto de muerte.

—Es que Rayco está más loco que una cabra.

—¿Lo conoces?

—Viene con frecuencia a comer a mi casa. Todo el mundo en Lanzarote conoce a Rayco.

—¡Sí! —admitió la otra—. Supongo que sí. Tengo un novio que más bien parece la lotería; todas quieren que le toque. —Hizo un gesto hacia el interior de la casa y preguntó—: ¿Podrías darme algo de beber? Ese maldito desierto me ha dejado seca.

Su interlocutora hizo un gesto de asentimiento, entró en la casa y regresó con una jarra de limonada y dos vasos.

Bebieron despacio, observándose, y cuando terminaron la pelirroja inquirió:

—¿Ramiro tenía familia?

—Ninguna. Por lo que me contó, su madre lo abandonó siendo un niño. Físicamente es un tanto incompleto. ¿Cómo le diría yo...?

—Un tullido. Constaba en la descripción que nos proporcionaron: un hombre de cincuenta y dos años, estatura media y un brazo y una pierna más cortos de lo normal. Pero pese a ello se arriesgaba a salir solo en el barco.

—Se las arregla muy bien.

—Y por lo visto era un gran pescador submarino.

—El mejor de la isla —admitió Fulgencia con una leve sonrisa de orgullo—. En el agua es como un pez; cuando se sumerge parece que no va a salir nunca. Es capaz de pescar a más de treinta metros de profundidad a pulmón libre.

—¿Y vive solo de la pesca?

—¡No! En absoluto. La pesca es más que nada una diversión, pero a veces vende lo que captura porque no lo puede consumir todo. También vende fotos submarinas, aunque su verdadera ocupación es la de programador de ordenadores. Diseña videojuegos de esos en los que se persiguen muñequitos así como programas de seguridad para los ordenadores de grandes empresas. Se los pagan de fábula.

—Entiendo… —Alanis Bermejo se tomó un tiempo para reflexionar, apuró hasta el fondo su vaso de limonada, se sirvió otro, y al fin inquirió con un leve cambio en el tono de voz—: ¿Tienes idea de si por casualidad conocía al matrimonio Ojeda?

—¿Al que asesinaron? —Ante el mudo gesto de asentimiento añadió, segura de sí misma—: Sí, claro. Eran bastante amigos. De hecho tengo entendido que en cierta ocasión Ramiro le salvó la vida al marido.

—¿A Damián Ojeda? ¿Cómo y cuándo?

—Cómo, no lo sé exactamente porque Ramiro es muy suyo y no le gustaba hablar de esas cosas, pero, si no recuerdo mal, debió de ser hace casi tres años.

—¿Se veían a menudo?

—Bastante. Damián acostumbraba a venir por aquí casi cada semana, e incluso a veces, cuando su mujer estaba de viaje, se quedaba a dormir. —Sonrió como si le divirtieran sus recuerdos y añadió—: Le encantaba jugar al parchís pero se ponía hecho un tigre cuando perdía.

—¡Curioso! ¿Ramiro le solía regalar pescado?

—Siempre.

—En ese caso está claro que seguía una buena pista… —musitó Alanis Bermejo casi para sí misma—. Aunque ahora el problema estriba en que resulta evidente que Ramiro Escribano desapareció veinte días antes de que asesinaran a los Ojeda.

La peruana se quedó muy quieta, con el vaso en la mano; su expresión evidenció a las claras la profundidad de su desconcierto.

—¿Acaso se le había ocurrido sospechar de él? —casi balbuceó, entre perpleja e indignada—. ¡Qué estupidez! Ramiro es el hombre más bueno e inofensivo del mundo.

—¡No! —se apresuró a replicar la pelirroja—. No sospechaba de él. De hecho, y para mi desgracia, a estas alturas todavía no hemos conseguido sospechar de nadie.

—¿Entonces?

—Lo que ocurre es que mi jefe me pidió que interrogara a todos los que conocían a los Ojeda por si podían darnos alguna pista; debo admitir que este es un caso tan enredado y confuso que nos encontramos tan perdidos como el primer día.

—Lo siento por ustedes y por los Ojeda, pero no creo que Ramiro sepa que han muerto.

La policía observó de reojo a su acompañante; cuando habló, el tono de su voz evidenciaba su desconcierto.

—¿Realmente estás convencida de que aún vive?

—Totalmente.

—Pero ¿quién puede soportar más de un mes perdido en la inmensidad del océano?

—Ramiro.

Cuando el sol ganó altura sobre cubierta y me golpeó en la cara abrí los ojos; al erguirme y observar a mi alrededor me sorprendió advertir que las cumbres de Fuerteventura eran apenas algo más que un punto en la distancia.

El viento y las corrientes me habían arrastrado hacia

el sur, o para ser más exactos, habían arrastrado la enorme red a la que me encontraba enganchado de tal forma que me remolcaba obligándome a avanzar en una dirección mientras la proa del Timanfaya marcaba la dirección opuesta.

La red era tres veces mayor que el barco.

Se me antojó una situación absurda y casi ridícula, puesto que no cabía en cabeza humana que una nave tan pesada pudiera estar siendo remolcada mar adentro por una red, y para colmo, de popa.

El timón, atascado como estaba, al igual que la hélice, por la tupida maraña de cables de un azul casi eléctrico, no me respondía hiciera lo que hiciera; aunque en realidad de nada hubiera servido, por lo que al poco me vi obligado a reconocer que había quedado a merced de los caprichos de aquella gigantesca malla ondulante que se agitaba y retorcía como si en verdad se tratara de un ser vivo que jugara con mi embarcación como un niño que se divirtiera arrastrando un caballito de madera por el asfalto de la calle.

A media mañana o tal vez ya casi al mediodía, la última cumbre de Fuerteventura desapareció por proa.

A mi modo de ver, aquello constituía sin lugar a dudas un desconcertante contrasentido.

Desde que el ser humano aprendió a desplazarse sobre el mar, las islas siempre habían aparecido por la proa y se perdían de vista por la popa, y todo hubiera continuado así de no ser porque un pobre tullido acababa de inventar la absurda y desconcertante moda de navegar de culo.

Ver que están tirando de ti hacia el corazón del océano sin que puedas hacer nada por impedirlo no es en verdad cosa de risa, pero debo reconocer que llegó un momento en que la situación se me antojó tan disparatada, diría que incluso kafkiana, que no pude evitar tomármelo con cierto sentido del humor.

—¿Adónde coño me llevas? —le pregunté a la red como si en verdad creyera que estaba dotada de vida y pudiera oírme—. Mi casa está hacia el otro lado.

Evidentemente, no se dignó responderme y se limitó a arrastrar el barco, de un modo lento, pero inasequible al desaliento, siempre hacia el sur; siempre siguiendo una ruta paralela a las costas del desierto africano.

A media mañana me até un grueso cabo alrededor de la cintura, lo afirmé a la caña del timón y me dejé deslizar hasta el agua, con el fin de ir cortando una por una las resistentes mallas de un material que, repito, parecía tan duro como el acero.

Una hora más tarde estaba agotado, casi me faltaban las fuerzas para trepar de nuevo a cubierta, me había cortado dos dedos, la mano buena se me había agarrotado y, para colmo de males, mi mejor cuchillo había ido a parar a más de mil metros de profundidad.

Tuve que dejar pasar un buen rato, aferrado a la red, antes de reunir las fuerzas necesarias para regresar a bordo.

Fue entonces cuando caí en la cuenta de que me había convertido en un auténtico prisionero del mar.

El Timanfaya, un pequeño y viejo pesquero, ancho y de bordas bajas que yo mismo había pintado de azul oscuro con la intención de que a las patrulleras de la Guardia Civil les resultara difícil distinguirlo en la noche, apenas tenía más obra muerta que una achatada camareta cuyo techo me rozaba la cabeza, por lo que pronto llegué al convencimiento de que resultaría casi imposible que una nave de paso me avistara, a no ser que estuviera a punto de abordarme.

Tenía que admitir que había cavado mi propia tumba.

Pero ¿a quién se le podía pasar por la mente que aquella situación tan surrealista pudiera llegar a presentarse?

El famoso principio que pregonaba que cuando algo puede salir mal siempre saldrá peor de lo imaginado se estaba cumpliendo en cada uno de sus puntos, por lo que me vinieron a la mente las palabras que Fulgencia me había repetido una y otra vez:

—Deberías ponerle una radiobaliza al barco.

—¿Para qué coño quiero yo una radiobaliza?

Ahora tenía la respuesta: para el caso de que una gigantesca red a la deriva le tomara un especial cariño a mi barco.

Sabía a ciencia cierta cuánta agua y víveres llevaba a bordo, pero me tranquilizó bajar a la bodega y comprobar que no había olvidado nada y cada cosa estaba en su sitio; con un poco de suerte, podría sobrevivir una larga temporada si era capaz de mantener la sangre fría.

Llegué a la conclusión de que lo primero que tenía que hacer era calmar la sed y dejar enfriar la leche que guardaba en los termos, puesto que debía alargar lo más posible las reservas de agua.

También debía consumir en primer lugar las frutas y los alimentos perecederos, así como intentar pescar algo, puesto que mi primera obligación era conservar las fuerzas.

En cierta ocasión había leído una apasionante novela sobre los navegantes polinesios en la que se hacía especial hincapié en cómo familias enteras pasaban largos meses en el mar durante sus interminables migraciones a todo lo ancho del océano Pacífico en busca de nuevas islas que colonizar. Resultaba evidente que si hombres, mujeres, ancianos y niños eran capaces de hacerlo por mero afán de conquista o exploración, yo también lo haría por la necesi-

dad de conservar lo único de cierto valor que en verdad poseía: la vida.

El Atlántico era sin lugar a dudas un océano mucho más pequeño que el Pacífico y estaba bastante más transitado, por lo que el problema se reducía a mentalizarme y a no permitir que los nervios me traicionaran cuando los víveres, y sobre todo el agua, comenzaran a escasear.

En el fondo, y a estas alturas, considero que puedo admitirlo: durante los primeros días de tan terrible odisea llegué a sentirme en cierto modo feliz porque consideraba que tan inesperada y desconcertante aventura no era en realidad más que una forma como otra cualquiera de poner a prueba mi voluntad y mi temple; me daba la oportunidad de demostrar una vez más que pese a mis notorias deficiencias físicas sabía sobreponerme a las pruebas más duras.

La soledad, creo que ya lo he dicho en más de una ocasión, había sido mi compañera de juegos en el orfanato, mi fiel amiga durante la pubertad, mi mejor amante en la juventud y mi sufrida esposa durante la madurez.

La soledad se convertía ahora en mi compañera de viaje durante tan singular travesía, y estando tan acostumbrado como estaba a su presencia no me resultaba en absoluto una carga, sino más bien un alivio.

A la caída de la tarde, Alanis Bermejo, aún desconcertada, decidió emprender el regreso, por lo que se ofreció a llevar a Fulgencia hasta Famara, ya que de esta forma le ahorraba parte del trayecto a través del caluroso desierto de Sóo.

Justo en el momento de dejarla a la puerta de la pequeña pero coqueta «Cueva del Pulpo», preguntó:

—¿Qué piensas hacer si Ramiro no vuelve?

—Ya le he dicho que volverá.

—Sí, ya sé que me lo has dicho —admitió la pelirroja en tono impaciente—. Pero imagina por un momento que el mar se ha cansado de ser su amigo y se lo ha tragado para siempre.

—Ni siquiera me lo he planteado —fue la respuesta—. Pero hasta que no se le dé oficialmente por muerto, seguiré cuidando de su casa. Supongo que luego será la ley la que decida qué hay que hacer con sus cosas.

—Podrías alegar que erais pareja de hecho y que parte de lo que tenía te pertenece.

—No sería verdad —señaló la peruana—. Cierto que de vez en cuando nos acostábamos juntos, pero no creo que eso me dé derecho a nada; además, siempre tendría la impresión de que intentaba aprovecharme de su amistad en mi propio beneficio. Ramiro no merece algo así.

—Veo que le admiras mucho.

—No puede imaginarse cuánto puesto que nunca le conoció.

—Me gustaría conocerle, y me gustaría tener la misma fe que tienes tú en su regreso, pero la experiencia me dice que las posibilidades de que se salve son más bien escasas.

Fulgencia dudó unos instantes, se diría que abrigaba serias dudas sobre lo que iba a decir, pero al fin se decidió:

—¿Me guardaría un secreto?

—¡Naturalmente!

—Ramiro no salió a pescar. Iba, como casi siempre, a ayudar a las pateras que vienen de África y que suelen naufragar junto a la costa. Por lo tanto estoy convencida de que llevaba el barco muy bien aprovisionado. Eso es lo que me permite confiar en que se mantendrá con vida.

—¿De modo que era él? —inquirió la pelirroja con una leve sonrisa—. Sospechábamos que alguien ayudaba a los inmigrantes desde las islas, pero no teníamos ni idea de quién podía ser, aunque suponíamos que lo hacía por dinero.

—Ramiro no hace nunca nada por dinero, sino para ayudar a los demás. No soportaba la idea de que esa pobre gente se ahogara sin que nadie acudiera en su ayuda, e incluso tengo entendido, aunque no estoy muy segura, de que en su testamento deja parte de lo que tiene para construir una casa de acogida para los inmigrantes.

—¡Extraño personaje! —no pudo por menos que reconocer la policía—. En verdad me gustaría que lograra salvarse, y puedes estar absolutamente segura de que no diré una sola palabra respecto a sus actividades, llamemos... delictivas.

—¿Realmente considera un delito que alguien arriesgue su vida por salvar la de unos desgraciados que se ahogan como moscas cuando por fin avistan tierra firme?

—Según las leyes vigentes sí; aunque admito que no siempre estoy de acuerdo con las leyes, pese a que mi obligación es hacer que se cumplan. La inmigración ilegal se está convirtiendo en uno de los mayores problemas de nuestra sociedad, por lo que no podemos colaborar con ella ni siquiera por razones humanitarias. Si mucha más gente actuara como Ramiro el mundo que conocemos se iría al garete.

—El mundo que conocemos es una mierda y usted lo sabe. Si no fuera por Ramiro yo seguiría pateando las calles de Arrecife y aceptando que cualquier cerdo me pusiera las manos encima, porque de lo contrario el cabrón del ucraniano me inflaría a hostias.

—¿Por qué nunca le denunciaste?

—Porque aunque le detuvieran, a los quince días estaría de nuevo en libertad, y entonces en lugar de una hostia me daría una puñalada. Las chicas como yo estamos a merced de esos chulos y ustedes lo saben, pero no los encierran para que se pudran en la cárcel. Por eso, cuando aparece alguien como Ramiro, que nos devuelve la libertad y el respeto por nosotras mismas, debemos ser capaces de dar la vida por él, de lo contrario mereceríamos seguir siendo putas para siempre.

—¿Dónde vive el ucraniano?

—Nadie lo sabe, pero cada noche puede encontrarlo en el bar El Ancla, cerca del puerto.

Alanis Bermejo meditó unos instantes, se apeó del vehículo y paseó unos minutos arriba y abajo, como si estuviera profundamente concentrada en sus pensamientos, y de hecho lo estaba. Finalmente, se volvió hacia Fulgencia, que también había descendido del coche y la observaba un tanto confusa.

—¿Me guardarías tú a mí un secreto? —preguntó con una leve sonrisa de complicidad.

—¡Naturalmente!

—Le vamos a dar un buen susto a ese chulo de los cojones. Voy a hacer correr la voz de que he encontrado un testigo que le vio en el coche con la mujer que se despeñó por el acantilado, y que tengo la intención de acusarle formalmente de su muerte. O mucho me equivoco, o ese pedazo de mierda subirá al primer avión, regresará de inmediato a su país y no volverá a poner los pies en Lanzarote en su puerca vida.

—Pero eso debe de ser ilegal.

—Detenerle o acusarle en falso sería ilegal, querida mía —fue la desvergonzada aclaración—. Hacer correr un rumor no es un acto ilegal; no es más que una cabronada. Ese jodido chulo debe de tener tantas cuentas pendientes con la justicia que llegará a la conclusión de que lo que pretendemos es lavar la imagen de la policía cargándole los muertos a un extranjero conocido por ser un delincuente habitual, por lo que dudo que opte por intentar defender su inocencia.

—¡Menuda putada!

—¡Y tanto! Pero es una magnífica ocasión de librarnos de un indeseable y conseguir al mismo tiempo que media docena de chicas puedan intentar rehacer su vida. ¿Crees que hago mal?

—¡En absoluto! Me encanta la idea, y si de verdad necesita un testigo que diga haberle visto en el coche con esa mujer la noche del crimen, no dude en contar conmigo.

—Lo tendré en cuenta.

—Por cierto… ¿Qué clase de coche era?

—Un Renault verde.

—¿Grande o pequeño? Como no sé conducir no entiendo de coches y no sé distinguir las marcas. Puedo decir el color y si era grande o pequeño, pero nada más.

—Verde botella y ni muy grande ni muy pequeño.

—¡De acuerdo! Nunca juraré que lo he visto, pero sí admitiré que creo haberlo visto en un coche verde botella ni muy grande ni muy pequeño.

—¡Con eso basta! No creo que se quede a esperar un careo. —La pelirroja volvió a subir al coche—. Y ahora he de irme —dijo—. Se me hace tarde.

—¿No quiere quedarse a cenar? Le prepararé unas lapas que se chupará los dedos

—En otra ocasión, querida. No he visto a Rayco en todo el día y hay mucha lagarta suelta por ahí.

—No debe preocuparse por él. Es un buen chico. Una noche en que un alemán borracho se estaba metiendo conmigo le arreó un guantazo que lo tumbó patas arriba.

—¡Escucha, bonita! —replicó con calma la pelirroja—. Yo sé mejor que nadie que Rayco es un buen chico, pero también sé que además de ser bueno está como un tren y que es de los que opinan que «hacerle un favor» a la orilla del mar a una guiri necesitada, sobre todo si tiene un buen par de tetas, no es más que un acto de caridad, aunque sea por aquello de que «la caridad bien entendida empieza por uno mismo». O sea que más vale que me vaya antes de que se me desmande.

Hizo un amistoso gesto de despedida, arrancó y se alejó bordeando la hermosa y salvaje playa mientras su interlocutora observaba el vehículo hasta que las luces traseras se perdieron de vista en la distancia.

Tan solo entonces se decidió a penetrar en el local decorado con redes y cañas de pescar. Mubarrak, que se entretenía secando vasos tras el mostrador, comentó con cierto tono de extrañeza:

—Llegas tarde. Me tenías preocupado.

—Me entretuve pintando las ventanas.

—Sabes que eso puedo hacerlo yo.

A media tarde del cuarto día hizo su aparición un barco que navegaba muy lentamente viniendo desde el sur.

Cuando enfoqué sobre él los prismáticos llegué a la conclusión de que llamarle «barco» constituía una exageración, puesto que en realidad se trataba de un enorme montón de chatarra de unos setenta metros de eslora, tan herrumbroso y en ruinas, que nadie en su sano juicio se hubiera arriesgado a atravesar con él ni tan siquiera el lago de la Casa de Campo de Madrid.

Avanzaba echando un espeso penacho de humo y cabeceando contra las olas, tan repleto de negros que se diría que se le iban cayendo por la borda a medida que se balanceaba como un gordo borracho.

No lucía nombre alguno, ni matrícula que indicase su lugar de origen, pero por el rumbo que llevaba, paralelo a la costa, era evidente que debía de haber zarpado de Dakar, Conakry, Lagos o cualquiera de los cien puertos africanos en los que miles de hambrientos inmigrantes se embarcaban a diario en bañeras semejantes en busca de la libertad o de la muerte.

Los traficantes de carne humana, modernos negreros que han resucitado un viejo y deleznable oficio abolido hace siglos, esquilman a unos pobres desesperados prometiendo que les desembarcarán en la rica y generosa Europa; sin embargo, lo que suelen hacer es abandonarlos a su suerte cuando el barco está a punto de naufragar, con la es-

peranza de que las autoridades de los países de destino acudan a salvarles en el último momento.

Sentí lástima por ellos.

Yo estaba solo y a merced de los caprichos de un océano que me había convertido en su presa, pero aun así me consideraba más libre y más feliz que cuantos desde la cubierta me miraban, aunque lo cierto es que no logré determinar si en realidad conseguían verme.

Pasaron de largo a menos de dos millas de distancia, pero pese a que yo los distinguía a través de mis prismáticos, y quiero suponer que algunos de ellos miraban en mi dirección, tengo la impresión de que ni tan siquiera repararon en mi presencia.

En realidad tampoco tenía el menor interés en que me recogieran puesto que su destino se me antojaba mucho peor que el mío.

Aun en el caso de que ese destino común fuera la muerte, prefería mil veces morir a solas y en silencio que rodeado de hombres, mujeres y niños que aullaban de desesperación; abandonar para siempre este mundo es a mi modo de ver una de las necesidades físicas más íntimas que le es dado experimentar a un ser humano.

No me inquietaba la idea de lanzar mi último suspiro sobre la cubierta del Timanfaya, aunque si quiero ser sincero, nunca tuve la sensación de que aquel fuera el final de mi camino, puesto que mi viejo atunero, pesado y fuerte pero «buen marinero» pese a que en aquellos momentos fuera ingobernable, sabía transmitirme una agradable sensación de seguridad.

Rememoraba las hazañas de los navegantes polinesios y pasaba los días leyendo, pescando, durmiendo, cocinando o tomando notas con la naturalidad de quien esta disfrutando de unas apetecibles vacaciones en un tranquilo vagabundeo sin destino.

La octava noche llovió a raudales y pude llenar hasta los bordes todos los depósitos, recipientes y botellas que tenía a bordo; ello me reafirmó en la idea de que podía sobrevivir una larga temporada sin problemas, puesto que además la pesca abundaba.

Con frecuencia ni tan siquiera tenía necesidad de molestarme en cebar un anzuelo y lanzar el sedal, puesto que casi cada mañana echaba una ojeada a la larga red que era mi dueña y descubría algún dorado, atún, bonito e incluso, en un par de ocasiones, una tortuga o un tiburón, enredados entre sus mallas.

Me bastaba entonces con deslizarme por la popa, siempre bien agarrado a las fuertes liñas que no había encontrado forma alguna de cortar, para apoderarme de la pieza atrapada, que iba a parar de inmediato a la cazuela.

«El buey solo bien se lame.»

Aquella larga aventura aumentó mi experiencia y me afianzó en el convencimiento de que quien mantiene la calma en los momentos difíciles no solo los supera, sino que experimenta una profunda satisfacción personal por haber sabido demostrarse a sí mismo, y sin necesidad de testigos, la fortaleza de su carácter.

Tenía la certeza de que llegaría un momento en que los vientos y las corrientes, que ahora me desplazaban hacia el sur, cambiarían de rumbo y girarían lenta pero inexorablemente hacia el oeste en cuanto llegara a la altura del archipiélago de Cabo Verde.

Solo era cuestión de tener paciencia y tomarse las cosas con filosofía; para alguien que ha llevado la vida que yo he llevado, tales objetivos resultan relativamente sencillos de alcanzar.

Dibujé sobre el banco de popa un rústico tablero de ajedrez, improvisé las piezas con cuanto encontré a mano y me enfrasqué en largas y sesudas partidas contra mí mismo en las que indefectiblemente siempre acababa haciendo trampas, dado que no soy lo suficientemente inteligente como para que una parte de mi cerebro le gane a la otra.

Aprendí mucho. No a jugar al ajedrez, pero sí a conocerme.

En ocasiones tenía la casi palpable sensación de que lo que me estaba ocurriendo era una especie de prueba que me ponían los dioses con el fin de que tuviera tiempo para reflexionar sobre si debería hacer públicos o no mis descubrimientos sobre el origen de la vida.

Unos días antes de mi partida había leído en la revista *Science* un estudio en el que se hacía referencia a unos diminutos microtubos que habían sido horadados por microorganismos en rocas de cuevas volcánicas sudafricanas y que por lo visto tenían más de tres mil años de antigüedad.

Los minúsculos túneles, de apenas cuatro micras de ancho por cincuenta de largo, eran, al parecer, la prueba indiscutible de que mucho tiempo atrás habían existido bacterias comedoras de rocas, de las que al parecer absorbían el fósforo y el hierro imprescindibles para su desarrollo.

Todo ello me llevaba a la conclusión de que, de algún modo, el estudio de *Science* se relacionaba con mis descubrimientos, y que quizá por ello había llegado el momento de sacarlos a la luz pese a que los Ojeda considerasen que debía esperar algún tiempo.

Recuerdo que en más de una ocasión me vi obligado a aclararles los detalles de mi investigación puesto que eran buenos biólogos pero no sabían gran cosa de química. No tenían la especialización que se precisa para entender hasta qué punto cada reacción se comporta de un modo distinto en cuanto se le cambian las condiciones de temperatura, presión o humedad.

Pero el día en que les pregunté si consideraban que debía hacer público mi descubrimiento o si debía continuar investigando hasta conseguir averiguar en qué acabarían por transformarse los extraños microorganismos de los charcos del tubo de lava, me recomendaron que meditara sobre las consecuencias que podría acarrear semejante hecho para una sociedad que, a su modo de ver, no estaba preparada para asimilar una revelación de tamaña envergadura.

—Sin embargo —señalé—, parece probado que en un tiempo remoto existió agua en Marte, y si hubo agua, probablemente también se dio alguna forma de vida.

—Marte es Marte —puntualizó Damián—. Y lo que pueda haber acontecido más allá de la estratosfera no afecta a nadie. Pero la demostración irrefutable de que aquí, en nuestro propio planeta, se pueden mezclar simples productos químicos y crear una nueva forma de vida, causará una conmoción de proporciones incalculables.

El policía indicó al anciano que acababa de penetrar en la lujosa estancia que tomara asiento en la butaca que se encontraba frente a él, al otro lado de una amplia mesa de caoba.

—¡Buenos días! —le saludó con una leve sonrisa, dando tiempo a que se acomodara—. Perdone que haya tomado posesión de este despacho casi a la fuerza, pero a mi modo de ver era necesario. Me llamo Antonio Lombardero y estoy a cargo de la investigación sobre las causas del fallecimiento de la señora Soledad Miranda.

—Sí… —se limitó a señalar el otro—. Nos habían advertido de su llegada y nos han pedido que colaboremos en cuanto nos sea posible para ver si se puede resolver este desgraciado asunto.

—He estado revisando los documentos de la difunta señora Miranda por si encontraba algo de interés y me han asegurado que usted, como administrador de los laboratorios, es la única persona que conoce la clave de acceso a su ordenador particular.

—Mentira.

—¡Vaya por Dios! —se lamentó el calvo, un tanto desconcertado por la rapidez de la respuesta—. Eso complica las cosas, aunque supongo que con paciencia nuestros expertos conseguirán entrar en este maldito trasto que más parece una caja fuerte que una herramienta de trabajo. —Se inclinó hacia delante y preguntó con renovada amabilidad—: ¿Por casualidad no tiene idea de quién puede conocer esa dichosa clave?

—Ya le he dicho que es «Mentira» —insistió el recién llegado, en un tono levemente impaciente—. La clave que da acceso al ordenador de la señora Miranda siempre ha sido la palabra «Mentira».

—¡Anda carallo…! —no pudo evitar exclamar su interlocutor, un tanto avergonzado por aquel absurdo malentendido que en cierto modo le dejaba en ridículo—. ¡Jamás se me hubiera ocurrido recurrir a una clave tan disparatada!

—Debe de ser porque no llegó a conocer a la señora Miranda.

—Lo cierto es que la conocí, pero supongo que no lo suficiente —replicó el policía mientras tecleaba la palabra indicada. Luego pulsó una tecla y asintió una y otra vez con la cabeza al tiempo que exclamaba—: *Voilà..!* Tenía usted razón. ¡Aquí lo tenemos! ¡«Mentira»! Confío en que encontremos algo que nos sirva de utilidad.

—Hasta el momento no han encontrado mucho, ¿no es cierto?

—¡Cierto! —reconoció Antonio Lombardero sin intentar justificarse—. Apenas hemos avanzado en nuestras investigaciones puesto que no hemos conseguido establecer una relación lo suficientemente lógica entre el asesinato del matrimonio Ojeda y la muerte de la señora Miranda… —observó con marcada atención al hombre que se sentaba frente a él y preguntó casi en tono de súplica—: ¿Usted la conocía bien?

—¿A la «señora»? ¡Muy bien! —admitió su interlocutor—. Desde que apenas levantaba un palmo del suelo, y por si fuera poco he trabajado para ella durante los últimos dieciocho años.

—¿Y qué me puede contar sobre su forma de ser?

—¿Sobre la forma de ser de la señora Soledad Miranda, o sobre la forma de ser de «la difunta señora Soledad Miranda»?

—Supongo que viene a ser lo mismo —replicó Antonio Lombardero a quien el anciano, cuyo nombre consultó con el rabillo del ojo en un papel que se encontraba sobre la mesa, tenía la virtud de descentrarle—. ¿O no?

—¡Naturalmente que no! —replicó seguro de sí mismo Enrique Corcuera—. Se puede despellejar cuanto se quiera a los vivos, pero las más elementales reglas de la educación y el buen gusto exigen que se hable siempre bien de los difuntos, pese a que en vida hayan sido unos malditos bichos de mucho cuidado.

—No sé por qué empiezo a tener la impresión de que a su modo de ver la señora Soledad Miranda era uno de esos «malditos bichos de mucho cuidado» —señaló el calvo esbozando apenas una sonrisa.

—El peor de todos... —replicó su interlocutor sin inmutarse—. Una auténtica arpía; el ser humano, si es que se puede llamar humano a la mujer más cruel, egoísta, ambiciosa, rastrera y sin escrúpulos que haya existido... —Hizo una pausa y añadió suavizando el tono de voz—: Y le aseguro que no lo digo por antipatía personal o una especial animadversión, sino porque es la pura verdad.

—Algo me habían comentado al respecto... —admitió el policía—. Aunque desde luego no tan... —dudó antes de añadir con manifiesta intención— detalladamente.

—Le aseguro que conozco al dedillo todos esos detalles puesto que los he sufrido en mis propias carnes.

—Tengo entendido que le robó el marido a su tía, y
que además acabó arruinándole.

—¡Y matándole!

—¿También es usted de los que creen en esa historia de
que además de destruirle, le envenenó?

—Le envenenó el corazón, las ideas, los sentimientos y
estoy convencido de que también el estómago, pero era
tan astuta y sabía tanto de química, que dudo que nadie
pudiera probar que le asesinó.

—Esa es una acusación muy dura —señaló el calvo.

—¿Y qué importancia tiene a estas alturas si ya nadie
puede juzgarla? —se sorprendió el anciano—. Pronto hará
cuarenta años que administro estos laboratorios; los vi nacer
y crecer y me sentía orgulloso de contribuir a una labor bien
hecha, porque su fundador y alma máter, el pobre Jacinto,
que en paz descanse, era un hombre de bien al que no le
preocupaba el dinero reinvirtiendo en la empresa todo cuanto ganaba, siempre en busca de nuevos productos que ali-
viaran el dolor de la gente. Y Adela, que le ayudó desde los
comienzos, era un encanto de mujer, buena esposa, buena
madre, decente y abnegada. Pero de pronto empezó a crecer
una desvergonzada «lolita» de pacotilla, que aparecía a todas
horas por aquí con sus escotes, sus minifaldas y su descaro,
y que acabó por convertir a un hombre honrado, hecho y
derecho, en un pelele que babeaba al verla. ¡Dios! —exclamó casi fuera de sí—. ¿Cómo es posible que alguien tan inteligente se vuelva de pronto tan estúpido?

—Ya lo dice el refrán: «Tiran más dos tetas que dos ca-
rretas».

—Pues en este caso esas tetas tiraban como tractores.
Le deslumbraron hasta el punto de dejarle ciego, puesto

que era el único que no veía que la muy guarra se acostaba con cuantos, y «cuantas», se cruzaban en su camino.

—El llamado Enrique Corcuera se frotó repetidas veces la punta de la nariz, como si estuviera intentando evitar que goteara, al tiempo que mascullaba—: ¡No acabo de entenderlo! Te pasas media vida admirando a un hombre, crees conocerlo como si fuera tu hermano y de pronto descubres que se está derrumbando como si fuera un muñeco de nieve por culpa de una guarra.

—¿Y usted nunca le dijo nada?

—¡Mil veces! Pero ya se sabe que en estos casos quien se vuelve ciego también se vuelve sordo. Cuando le advertía que «su pequeña» se estaba llevando el dinero de la caja a manos llenas, el pobre infeliz la justificaba diciendo que necesitaba «trapitos con los que ponerse guapa para él». ¡Trapitos! Con lo que perdía la muy hija de puta en una noche en el casino se podía haber comprado la firma Dior.

—¡Bueno! —refunfuñó Antonio Lombardero, dando por concluido el tema—. Aceptemos que, en efecto, la difunta era tan mal bicho que no la han dejado entrar en el infierno y los americanos le han dado un empleo de torturadora en Irak. Ahora dígame… ¿Sabe si conocía con anterioridad a los Ojeda?

—¡Desde luego! De hecho durante algún tiempo financió sus absurdas investigaciones sobre la cochinilla, pese a que le advertimos que aquello nunca conduciría a nada. A la «señora» le urgía ganar dinero, pero en este negocio las prisas suelen ser muy malas consejeras. Conseguir poner en el mercado un nuevo producto exige años de esfuerzo y mucha paciencia.

—¿La cree capaz de haberlos degollado a sangre fría?

—Depende de lo que estuviera en juego.

—La fórmula del secreto de la vida.

El anciano agitó una y otra vez la cabeza como si la explicación se le antojara una memez, pero acabó por admitir:

—Ya me han contando algo sobre ese singular «descubrimiento». Personalmente me parece una tontería, pero no cabe duda de que si la señora Miranda admitió que podía ser cierto, debo reconocer que la considero muy capaz de matar a quien fuera por conseguir la fórmula.

—¿Con sus propias manos?

—¡No! —replicó el otro de inmediato—. ¡Eso sí que no! Conociéndola como la conocía le puedo asegurar sin miedo a equivocarme que se las ingeniaría para que algún cretino le hiciera el trabajo sucio.

—Pero que yo sepa, aparte de los Ojeda no conocía a nadie en Lanzarote, y me sorprendería que le hubiera pedido a alguien que fuera a la isla a matarlos.

—Pero a mí me consta que sí conocía a alguien en Lanzarote —puntualizó Enrique Corcuera, convencido de lo que decía.

—¿Está seguro? —inquirió Antonio Lombardero, vivamente interesado.

—No me cabe la menor duda. Se comunicaban por internet y nunca se olvidaban de felicitarse durante las Navidades.

—¿Tiene idea de quién puede ser?

—¡Ni la más mínima!

—Lástima, porque tal vez ahí esté la solución a todos nuestros problemas. Si efectivamente tenía un cómplice en Lanzarote entra dentro de lo posible que fuera ese mismo cómplice quien la mató.

—Siento no serle de ayuda —lamentó el anciano—. Nada me agradaría más que contribuir a aclarar todo este embrollo, pero la verdad es que no tengo ni idea de quién puede ser ese individuo, aunque lo más probable es que se trate de uno de sus ex amantes. Los tenía a docenas y por lo general los manejaba a su antojo. —Hizo un significativo gesto hacia el ordenador que se encontraba sobre la mesa y añadió—: Pero ahí dentro debe de estar la respuesta. Lo único que tiene que hacer es buscar entre las felicitaciones de Navidad y comprobar si alguno de los remitentes o destinatarios reside en Lanzarote.

A menudo pensaba en Damián, Fulgencia y Mubarrak, y esos eran los únicos momentos en que me sentía mal, y en cierto modo culpable, porque estaba convencido de que mientras yo casi disfrutaba de mi forzada aventura, mis amigos estarían sufriendo todas las penas del infierno, convencidos de que el mar se me había tragado para siempre.

De haber conseguido comunicarme con ellos y notificarles que me encontraba a salvo, todo hubiera sido perfecto, pues debo admitir que me sentía maravillosamente bien, mecido por las largas olas que me empujaban lenta pero inexorablemente hacia el oeste, convencido como estaba de que más tarde o más temprano, que eso poco importaba, acabaría por tropezar con las costas americanas.

Al fin y al cabo aquella era una travesía que emprendían cada año miles de aficionados a la vela que, a partir de mediados de octubre, se hacían a la mar desde las costas canarias con el fin de que los vientos alisios los condujeran directamente hasta el Caribe.

Incluso tengo entendido que algunos arriesgados aventureros han realizado la travesía a remo.

Yo estaba haciendo lo mismo, pero sin velas y sin remos.

Tal vez alguien piense que estoy loco, pero será alguien que no conozca el mar, que no lo ame como yo lo amo, que no disfrute con sus movimientos, con su olor, con sus cam-

bios de color según las épocas del año, los días o las horas, y aun dentro de esas horas también puede cambiar de un minuto al siguiente a causa del simple paso de una oscura nube.

Me gusta sumergirme en el mar y notar luego la sal sobre mi piel.

Hay tanta sal en el mar —quinientos mil trillones de toneladas—, que si se esparciera sobre todos los continentes emergidos alcanzaría una altura de once kilómetros.

Cuentan que el rey Salomón prometió que nombraría primer ministro a aquel que fuera capaz de decirle por qué razón el agua del mar era salada, pero nadie supo darle una respuesta.

Pero la pregunta estaba mal formulada; el sabio rey hubiera tenido que preguntar por qué razón el agua de tierra adentro era dulce, ya que desde el comienzo de la creación el agua siempre ha sido H_2O, más algunas sales, y tan solo la pequeña parte que el sol consigue evaporar se convierte en dulce.

Ni siquiera la sabiduría de Salomón bastaba para abarcar la grandiosidad de los océanos, aunque se le puede disculpar porque a lo largo de toda su vida no tuvo oportunidad de ver más que las orillas del Mediterráneo.

Si hubiera pasado, tal como yo pasé, días y semanas flotando mansamente sobre miles de metros cúbicos de agua, y eso que el Atlántico no es ni tan siquiera el mayor océano, probablemente nunca se hubiera atrevido a formular una pregunta propia de gentes de tierra adentro.

En ocasiones acudían a visitarme delfines, ballenas y gigantescos tiburones que giraban lentamente a mi alrededor como si estuvieran calibrando el potencial defensivo —o agresivo— de aquel extraño animal azul precedido de un largo velo ondeante que nunca antes habían visto.

Y es que ni el más «civilizado» tiburón se había tropezado jamás con una red que arrastra a un barco.

Ni un tiburón, ni nadie.

Una noche sin luna surgió de las profundidades una masa fosforescente, bastante más extensa que el barco, que permaneció largo rato bailando a seis o siete metros bajo la quilla y debo admitir que esa fue la única ocasión en que pasé un mal rato.

Fuera lo que fuera aquella fantasmagórica «cosa», parecía muy capaz de voltear de un solo golpe al Timanfaya, lanzarme al agua y convertirme en parte de su cena.

¡Es tanto lo que ignoramos sobre los habitantes de las grandes profundidades!

¡Son tantos los secretos que aún conservan los mares!

Como casi siempre suele ocurrir, cuanto más estudias algo, más cuenta te das de la magnitud de tu ignorancia, y pese a que en un tiempo me consideré, ¡estúpido de mí!, capacitado para escribir un libro que pensaba titular pomposamente Amar el mar, aquellas semanas a solas con él me sirvieron para tener clara conciencia de que era tan poco lo que sabía que ni siquiera valía la pena intentarlo.

Luego llegaron días y noches de calma y lluvia.

Ni un soplo de viento, ni un rayo de sol, ni un atisbo de luna; tan solo una lluvia pesada e insistente que rebotaba contra una superficie grisácea que con frecuencia semejaba plata bruñida.

Ni un ave, ni un pez, ni tan siquiera una mosca.

Nada.

Yo parecía ser el único ser vivo en miles de millas a la redonda.

Por qué razón lloraba tan desconsoladamente el cielo, no lo sé.

Por qué razón todos los demás elementos permanecían tan quietos y en silencio respetando su dolor, tampoco puedo saberlo.

Me encontraba allí, sentado en popa, contemplando la prodigiosa gama de grises en que se habían convertido mar y cielo, y tenía la indescriptible sensación de que el agua, que no cesaba de caer ni un solo instante, me estaba lavando por dentro y por fuera.

Durante aquellos días entendí lo que podía experimentar uno de esos ermitaños que se pasan la vida sentados a la puerta de una cueva, o los monjes de clausura que han hecho voto de silencio.

Una noche me despertó ese silencio.

Había cesado de llover, el simple hecho de que las gotas dejaran de repiquetear contra el techo de la camareta me alarmó y cuando salí a cubierta me impresionó el paisaje, apenas alumbrado por un primer atisbo de luna nueva y millones de estrellas; era tal la calma que podría creerse que en verdad el mundo se había cansado de vivir y de girar.

El océano era como plomo derretido o como el azogue de un espejo, y ni tan siquiera la red que me mantenía prisionero acertaba a balancearse.

Coloqué una moneda de canto sobre el banco de popa y se mantuvo así durante casi media hora por lo que no parecía aventurado suponer que el agua se había solidificado bajo la quilla.

Si existen momentos mágicos en la vida de un ser humano, aquel fue para mí uno de ellos; descendí muy lentamente por la escalerilla de popa y me introduje en un cálido mar que me acogió con el afecto con que se acoge a un amigo muy querido.

Me bañé largo rato, convencido de que en aquella noche tan especial ninguna bestia de los abismos intentaría devorarme, pero al regresar a cubierta advertí que ya no me encontraba solo.

Allá en la distancia, y recortándose contra la luna que comenzaba a ocultarse en el horizonte, se distinguía con absoluta nitidez la inconfundible silueta de una pequeña embarcación.

Sonó el timbre de la puerta. Y cuando Alanis Bermejo abrió le sorprendió encontrarse frente a un enorme ramo de flores por encima del cual asomaba la inconfundible calva de su jefe.

—¿Qué haces tú aquí? —preguntó alborozada.

—Regresé anoche y en comisaría me han dicho que estás pachucha. ¿Cómo te encuentras?

—Hecha polvo.

—¿Y qué tienes? —quiso saber el calvo al tiempo que entraba permitiendo que ella se apoderara del ramo de flores y cerrara la puerta a sus espaldas.

—El domingo cené unas almejas a la marinera que me sentaron mal. Llevo dos días con dolor de cabeza, vómitos y mareos. Creo que he echado hasta mi primera papilla.

Antonio Lombardero la observó con detenimiento, la empujó levemente para que el rayo de luz que penetraba por la ventana le diera de lleno en los ojos, y al fin sonrió maliciosamente al tiempo que preguntaba:

—¿Qué dices que cenaste?

—Almejas a la marinera.

—¡De almejas a la marinera nada, enana! Lo que tú tienes está en cierto modo ligado a las almejas, pero no a la marinera.

—¿Qué quieres decir?

—Que uno tiene experiencia en estas lides, y lo que te pasa es que estás ligeramente embarazada.

—¡No me jodas!

—De eso ya se ha ocupado Rayco. Y con notable éxito por lo que puedo advertir. Tengo cuatro hijos y casi una docena de sobrinos y me precio de ser capaz de reconocer a una preñada antes de que ella misma lo sepa.

—¡No gastes bromas con eso! —casi sollozó la pelirroja dejándose caer en el sofá que ocupaba la pared principal del pequeño salón cuyo ventanal se abría a la enorme playa de los Pocillos y a un tranquilo mar sobre el que se deslizaban una veintena de tablas de windsurf—. ¿Cómo es posible que me haya quedado embarazada?

—Follando.

—¡No seas vulgar!

—Bueno… —admitió Antonio Lombardero—. Digamos que fue haciendo el amor, que suena más fino.

—¡Dios misericordioso! —fue la patética y hasta cierto punto cómica protesta—. ¿Y qué voy a hacer ahora?

Su jefe tomó asiento a su lado, le acarició la mano, se la besó con afecto y señaló con absoluta naturalidad:

—Lo que han hecho casi todas las mujeres desde que el mundo es mundo: engordar hasta parecer una sandía, tener un precioso bebé y cuidarlo con infinito cariño. —La observó de reojo mientras preguntaba en tono burlón—: ¿Prefieres niño o niña?

—¡Vete al diablo! —le espetó sin miramientos la infeliz muchacha, a punto de echarse a llorar a moco tendido—. ¿Te imaginas los comentarios? Una policía, soltera y embarazada.

—No sería el primer caso, pequeña —señaló su superior—. Y no te van a expulsar del cuerpo por eso. Aparte de que conozco a Rayco, y aunque me consta que si no se sienta sobre su cabeza es porque le parece demasiado dura, estoy convencido de que en cuanto le digas que vais a tener un hijo dará saltos de alegría y te pedirá que te cases.

—¿Con quién?

El policía no pudo evitar que se le escapara una corta carcajada antes de responder:

—Con él, naturalmente.

—¿Y acaso te parece una solución? ¿Qué clase de padre sería? Me veo teniendo que ir a buscar cada día al niño a tres millas mar adentro. Le enseñaría a «coger olas» antes que a caminar.

—¿Y eso qué tiene de malo? Cualquiera puede aprender a caminar, pero pocos pueden «coger olas» como lo hace Rayco. Y quiero suponer que la paternidad le volverá más juicioso.

—Para llevar tantos años en la policía sigues siendo demasiado optimista —observó su subordinada—. Rayco nunca podrá ser juicioso, dejando de lado que supongo que si algún día llegara a serlo ya no me gustaría. Es como es, y así es como le quiero.

El calvo se encogió de hombros, se puso en pie para encaminarse al pequeño bar y servirse un whisky con hielo con la naturalidad de quien sabe dónde se encuentra cada cosa y, como si con ello diera por zanjado el asunto, señaló:

—Tú verás lo que haces, porque yo respeto el dicho de que más sabe el tonto en su casa que el sabio en la ajena, pero decidas lo que decidas, cuenta conmigo y con Candela, que estará encantada de echarte una mano con la criatura... —Volvió a acomodarse a su lado y preguntó en un tono muy distinto—: Pero dejemos eso y vayamos a lo nuestro. ¿Qué has conseguido averiguar con respecto a los dichosos asesinatos?

—Nada.

—¿Nada de nada?

—Nada de nada.

—Está claro que la experiencia es un grado, y el que sabe, sabe. Tú no has conseguido averiguar nada en la escena del crimen pero tu astuto jefe, que nunca descansa, ha conseguido una magnífica pista durante sus ratos libres en Madrid.

—¿Qué clase de pista? —preguntó Alanis Bermejo, tan interesada en el tema que por unos instantes pareció olvidar sus problemas personales.

—Una que puede llevarnos directamente al asesino, no solo de los Ojeda, sino incluso de Soledad Miranda.

—¿Y quién es?

—Su cómplice.

La muchacha pareció tan sorprendida que necesitó echarse hacia atrás para estudiar a su compañero de profesión arqueando las cejas en un claro gesto interrogativo.

—¿Desde cuándo eres de la opinión de que Soledad Miranda tenía un cómplice en la isla? —inquirió—. Siempre habías descartado esa hipótesis.

—Porque ignoraba lo que ahora sé.

—¿Y es?

—Que seguía manteniendo una relación muy estrecha con uno de sus compañeros de universidad. Es casi seguro que fue uno de sus primeros amantes, y se da la curiosa circunstancia de que vive aquí desde hace algunos años.

—¿Y cómo se llama?

Antonio Lombardero se tomó un tiempo para responder, como si experimentara una profunda satisfacción por su innegable éxito personal, apuró muy despacio cuanto le quedaba en la copa, y al fin susurró con una amplia sonrisa de triunfo:

—Ramiro Escribano.

—¿Ramiro Escribano? —repitió, evidentemente sorprendida, su acompañante, como si en verdad le costara trabajo aceptar que había entendido bien la respuesta—. ¿Has dicho Ramiro Escribano?

—¡Exactamente!

—¿Y a ti no te suena de nada ese nombre?

El calvo depositó con sumo cuidado la copa sobre la mesita de centro al tiempo que asentía una y otra vez y se rascaba la cabeza con aquel gesto tan suyo que indicaba que algo le inquietaba.

—Si quieres que te sea sincero, me suena, pero llevo tres días intentando recordar de qué sin conseguirlo.

—Normal en ti.

—Sé que conozco al tipo, pero no consigo ubicarlo.

—Pero es que no lo conoces —señaló la muchacha poniéndose en pie para volverse a mirarle desde arriba, como si ese simple hecho le permitiera dominar la situación—. Cuando te pregunté me aseguraste que nunca le habías conocido.

—¿Y cuándo fue eso?

—Hace más de un mes.

—¡Qué raro! —masculló su interlocutor, cada vez más perplejo—. Entonces, ¿de qué coño me suena tanto?

—De que Ramiro Escribano es el tullido que se perdió en el mar.

—¡La madre que lo parió! —no pudo evitar exclamar el jefe de policía de Lanzarote poniéndose en pie de un salto—. ¡Ahora caigo! ¡El cojo loco! Con razón me sonaba tanto su nombre. ¿Y se puede saber qué fue de él?

—Nunca más se supo —fue la seca respuesta—. Como del «Finado Fernández» de los programas de radio que escuchaba mi padre.

—¡Pues sí que estamos jodidos! —mascúlló, malhumorado, Antonio Lombardero—. Nuestro gozo en un pozo y volvemos al principio.

—O sea que en este caso la experiencia no es un grado, y el «astuto jefe» acaba de meter un planchazo de los que hacen época.

—¡Exacto! —reconoció humildemente el calvo—. Menos mal que aún no he dicho nada en comisaría. Me hubieran estado tomando el pelo tres meses.

—El del sobaco, supongo.

—¡Menos coña!

La pelirroja hizo un gesto propio del baloncesto que indicaba «tiempo muerto», corrió al cuarto de baño, devolvió lo poco que aún le quedaba en el estómago, se limpió los dientes y regresó lanzando un profundo resoplido antes de mascullar, malhumorada:

—Si es por esto por lo que hay que pasar para tener un hijo, no entiendo por qué hay tanta gente en el mundo.

—Solo ocurre durante los dos primeros meses —la tranquilizó él—. Luego te sentirás muy feliz, y en cuanto notes que el niño se mueve te parecerá increíble no haber experimentado antes algo tan maravilloso.

—¿Y tú cómo lo sabes? —replicó Alanis Bermejo con acritud—. ¿Cuántos hijos has parido? —Hizo un significativo gesto con la mano y añadió—: Pero como sueles decir… ¡dejemos eso! ¿Qué vamos a hacer ahora?

—¿Y yo qué sé?

—No tenemos sospechosos, no tenemos pistas, no tenemos el arma del crimen y no tenemos móvil. Lo único que nos faltaba era no tener ni siquiera cadáveres.

—El móvil sí que lo tenemos… —la contradijo su jefe—. Las libretas de notas que contienen la fórmula del origen de la vida. Cada día estoy más convencido de que esa fue la razón por la que mataron a los Ojeda. Y de igual modo cada día estoy más convencido de que Soledad Miranda tuvo algo que ver. No me preguntes cómo ni por qué, pero algo me dice que estaba metida hasta el cuello.

—¿Olfato de policía o esa supuesta intuición femenina que siempre me achacas?

—¡Simple lógica! Por lo que he podido averiguar sobre ella era una de esas personas que ensucian, corrompen o destrozan todo cuanto tocan, y empiezo a creer que no solo era una hija de la gran puta. Además era gafe, lo que a mi modo de ver es mucho peor.

—Tengas o no razón, al menos algo hemos sacado en limpio de todo esto… —señaló la embarazada—. Hice correr la voz de que pensábamos interrogar al ucraniano, en relación con los asesinatos, y al día siguiente desapareció como por arte de magia. Supongo que no volveremos a verle el careto nunca más.

—Te advierto que eso es del todo ilegal… —puntualizó con extraña seriedad el policía— pero me encanta.

—Lo suponía. —La muchacha hizo una pequeña pausa antes de añadir con una sonrisa—: De tanto en tanto podríamos inventarnos un asesinato, aunque no tuviéramos ni cadáver ni nada, con el fin de asustar a los indeseables y quitarnos de encima a tanto macarra como pulula por ahí.

—¡No es mala idea! —admitió el calvo—. ¡No es mala idea! Tendríamos que meditar seriamente sobre ello. —Pellizcó a su acompañante en la mejilla al tiempo que se encaminaba a la puerta mientras decía—: ¡Y ahora he de irme! Tengo que firmar un montón de puñeteros papeles atrasados. —Apuntó acusadoramente a su subordinada con el dedo al tiempo que le espetaba—: ¡Y tú procura dar a luz antes de un mes porque tienes mucho trabajo! ¡A ver si te has creído que con la disculpa del embarazo te vas a pasar nueve meses sin hacer nada! Recuerda nuestro lema: Rapidez y eficacia.

—¡Sí, sí…! —admitió ella—. ¡Sobre todo eficacia!

Ni siquiera podía considerarse que era una auténtica embarcación puesto que se trataba de una barquichuela que no alcanzaba los tres metros de eslora y cuya borda sobresalía poco más que una cuarta de la superficie del agua.

El océano continuaba semejando un espejo, sin viento ni corrientes; a causa de ello, la distancia que nos separaba apenas disminuía, pese a que la barca parecía mucho más ligera que el Timanfaya, por lo que estimo que debieron de pasar al menos siete u ocho horas antes de que se encontrara casi a tiro de piedra.

Aunque con la primera claridad del día hice sonar repetidamente la sirena y grité a voz en cuello, nadie respondió ni se advirtió movimiento alguno a bordo.

No me hacía ninguna gracia echarme a nadar en aquella infinita extensión de agua oscura y profunda de la que en cualquier momento podía surgir una bestia decidida a devorarme, pero debo reconocer que la curiosidad es una de las tentaciones a las que jamás he sabido resistirme, por lo que al fin me até un largo cabo a la cintura, me introduje muy despacio en el mar y nadé sigilosamente, como si en verdad temiera despertar a algún monstruo de los abismos de fino oído y afiladas mandíbulas.

Me aproximé metro a metro, extendí la mano sana y me aferré a la borda, pero, antes de alzarme para echar una ojeada al interior, el insoportable hedor que flotaba en el quieto aire me hizo saber que iba a encontrar un cadáver.

Era el de un negro muy flaco y cubierto de harapos que se encontraba medio hundido en poco más de una cuarta de agua sanguinolenta y putrefacta, con la boca abierta y fuertemente abrazado a una botella de plástico.

Comprendí que nada podía hacer por él, y que tampoco me serviría de mucho una barca carcomida por el sol que se mantenía a flote de puro milagro; estaba a punto de regresar al Timanfaya cuando reparé en el curioso hecho de que la etiqueta de la marca de la botella no estaba, como es lógico imaginar, pegada por fuera, sino doblada en su interior.

Y al parecer había algo escrito en ella.

Le arranqué la botella al muerto —sus dedos ya casi se deshacían al menor contacto— y regresé al barco nadando sigilosamente y con los mismos o mayores temores que a la ida.

Me sequé, me serví un generoso cubalibre que entonara un poco mi cuerpo revuelto por el macabro espectáculo al que me había visto obligado a asistir, y al fin me acomodé en cubierta. Observé la botella que con tanta fuerza aferraba el negro, pero sin decidirme a abrirla, como si considerara que de algún modo iba a atentar contra la intimidad y los derechos de un muerto, aunque estaba convencido de que lo que probablemente aquel infeliz había suplicado en sus últimos momentos era que alguien leyera su mensaje.

Incluso antes de desenroscar el tapón y extraer el arrugado pedazo de papel, me había hecho una idea de lo que iba a encontrar en él.

Estaba escrito a lápiz, en francés y con trazos muy burdos:

Septiembre 2004. Barco, *Kansas Star*–Monrovia.
Tres polizones. El capitán nos abandonó en alta mar.
Una caja de galletas, dos botellas de agua. Muchos días a la deriva.
Mis compañeros han muerto. Yo moriré pronto.
Capitán asesino. Dios no está. ¿Qué será de mis hijos?
Ruego justicia. Samuel Obango–Duala

Aquella era una historia que se repetía demasiado a menudo, pero no por ello dejaba de ser terriblemente cruel y dolorosa.

Desesperados del Tercer Mundo aprovechaban las escalas de los buques mercantes para esconderse en su interior con la esperanza de llegar al paraíso soñado del Primer Mundo, pero ello causaba sin duda graves contratiempos a los capitanes de esos barcos, muchos de los cuales se veían obligados a pagar severas multas a su llegada al puerto de destino por llevar en sus bodegas a unos pasajeros indocumentados, a menudo enfermos y nunca bien recibidos.

Los armadores sabían muy bien que una carga perecedera podía echarse a perder si las autoridades portuarias declaraban la cuarentena o simplemente los retenían las naves algunos días a la espera de solucionar el conflicto; debido a ello, algunos exigían a sus capitanes que optaran por el expeditivo método de abandonar a los polizones en mitad del océano.

Estos lo hacían con la seguridad de que les estaban condenando a morir, y que por lo tanto jamás acudirían a los tribunales a demandarles judicialmente, o a pedirles cuentas por sus criminales actos.

El capitán del Kansas Star *era evidentemente uno de esos seres sin escrúpulos para quien una carga perecedera, una cuarentena, una multa o un fastidioso trámite burocrático importaba mucho más que la vida de tres seres humanos.*

Sobre todo si eran negros.

Sentado en popa, mientras observaba la mísera lancha que se iba alejando lentamente hacia el norte, traté de hacerme una idea de cómo podía ser un hombre capaz de abandonar a tres infelices a cientos de millas de la costa más cercana, sabiendo además, en tanto que experimentado marino, que si morían de sed tendrían la más espantosa agonía que nadie pueda imaginar.

¡Dios misericordioso!

Pero como el difunto Samuel Obango había dejado escrito, «Dios no está».

Aquella era la frase que más me había impresionado de su corto y angustioso mensaje: «Dios no está».

Empiezo a pensar que el verdadero problema de los seres humanos no se centra en que exista o no exista Dios, sino en la certidumbre de que nunca está donde debiera estar.

¿Qué tiene que hacer que sea más importante que remediar el sufrimiento de aquellos a los que él mismo proporcionó la vida?

¿Qué otro lugar había sobre la faz del mundo en que se le necesitara más que a bordo de una frágil barquichuela en la que tres infelices se deshidrataban bajo un sol implacable?

El dios omnipotente que había creído entrever en toda su grandiosidad cuando observé a través de un microscopio cómo se creaba la vida partiendo de la nada, poco tenía que ver con el dios que permitía tan espantosos crímenes.

Aquel dios era sin duda el responsable de la creación de un universo complejo y misteriosamente perfecto, pero no podía ser de igual modo responsable de la creación de unos seres humanos abominablemente imperfectos.

No era posible que en una mente —divina o humana— cupiera al mismo tiempo la grandiosidad de los océa-

nos y la mezquindad del corazón del implacable capitán del Kansas Star.

La barca se iba alejando muy despacio y tuve la impresión de que muy pronto se hundiría definitivamente, como si considerara que ya había cumplido con su triste deber de mantenerse a flote hasta que alguien encontrara aquella desesperada petición de justicia.

—Descansa en paz —no pude evitar musitar—. Yo me ocuparé de tus hijos y de que se te haga justicia.

Sentado allí, conteniendo a duras penas las ganas de romper a llorar, supe que mi largo y placentero viaje hacia la nada había llegado a su fin porque ahora sabía cuál era la razón por la que aquella enorme red me había arrastrado a miles de millas de mi hogar.

El mar, mi amigo el mar, me había elegido como testigo de la maldad humana y me estaba demandando que le devolviera los incontables favores que me había hecho hasta entonces.

Cuando presenció lo que ocurría a bordo del Kansas Star me mandó llamar y me condujo hasta el lugar del crimen. Ahora era yo quien debía actuar, porque aquel ya no era un problema del mar; era un problema de los hombres.

Las olas batían mansamente con un suave rumor que invitaba a tumbarse en la arena y contemplar la luna, que parecía colgada sobre la pequeña isla de la Graciosa, cuyas luces se distinguían a poco más de dos millas de distancia.

Hacía calor pese a que comenzaba ya el mes de noviembre, por lo que una agotada Fulgencia se abanicaba con una vieja revista al tiempo que lamía de tanto en tanto un cucurucho de helado que se derretía con sorprendente rapidez.

Estaba sentada a una de las mesas de la terraza que cada noche se veían obligados a guardar en el interior de La Cueva del Pulpo antes de irse a dormir, y apenas alzó el rostro cuando el joven Mubarrak tomó asiento a su lado y, tras contemplar largo rato el mar, señaló:

—Creo que empieza a inquietarte demasiado la suerte de Ramiro.

—¿Y a ti no?

—¡Mucho! Y por desgracia no tengo tu fe en que sobreviva. He cruzado ese mar dos veces, y las dos estuve a punto de naufragar, por lo que el solo hecho de verlo me aterroriza.

—¿Dos? —se sorprendió ella—. Eso no lo sabía.

—La primera fue cuando apenas había cumplido doce años. Zozobramos cuando ya avistábamos tierra y nos recogió la guardia costera. Me había gastado en el viaje todos mis ahorros, pero a los quince días estaba de vuelta en casa.

—Pero ¿aun así lo intentaste de nuevo?

—¿Y qué remedio? El hambre es más fuerte que el miedo.

—Dímelo a mí, que cada noche temblaba al pensar en los tarados que podía encontrarme en esas calles de Dios.

—La televisión contaba ayer que más de mil inmigrantes clandestinos mueren cada año al intentar cruzar el estrecho de Gibraltar o llegar hasta aquí, pero aun así centenares lo siguen intentando, aunque muchos de ellos saben que morirán, porque poder trabajar y comer cada día compensa todos los peligros y sufrimientos.

—Eso era lo que impulsaba a Ramiro a hacer lo que hacía aun a sabiendas de que estaba jugándose acabar en la cárcel.

—¿Y qué haremos si no vuelve?

—No lo sé. Siempre he oído decir que cuando los seres queridos desaparecen la vida sigue, pero aún no me hago a la idea de una vida sin él. —Fulgencia guardó silencio unos instantes, como si no se decidiera a decir lo que tenía en mente, pero al fin, con un leve cambio de voz, comentó tratando de no darle demasiada importancia al hecho—: El otro día vino a casa una policía que cuando yo trabajaba en la calle solía detenerme, aunque es una buena persona y siempre me trató con respeto.

—¿Qué quería?

—Saber si Ramiro conocía a los Ojeda.

—¿Y qué le dijiste?

—¿Qué quieres que le dijera? —fue la sorprendida pregunta en respuesta a la de Mubarrak—. La verdad; que los conocía, aunque le hice ver que lógicamente nada pudo tener que ver con su muerte puesto que desapareció antes de que los asesinaran.

—¿Acaso sospechaba de él?

—Mi impresión es que sospecha de todo y de todos, visto que no puede sospechar realmente de nadie —a la tranquila respuesta siguió a una larga lamida al helado—. Creo que la policía se dedica a dar palos de ciego con la esperanza de que en alguno de ellos salte la liebre. O sea, que lo mejor que puedes hacer es conservar la calma y seguir como hasta ahora.

El muchacho pareció desconcertado, agitó un par de veces la cabeza como si necesitara un tiempo para asimilar lo que acababa de oír y, al fin, con un tono de voz extrañamente ronco, preguntó:

—¿Qué has querido decir con eso?

—Lo que he dicho: que si continúas con tu vida normal, nadie tiene por qué sospechar de ti.

—¿Acaso sospechas tú?

—No.

—¿Entonces? —se sorprendió el saharaui.

—Yo no sospecho, porque no tengo necesidad de sospechar, Mubarrak —replicó la peruana depositando lo poco que quedaba ya del cucurucho de helado en un cenicero—. Yo sé, desde hace tiempo, que fuiste tú quien le rebanó el cuello a aquel par de hijos de puta.

—Pero ¿cómo puedes decir algo así? —protestó su interlocutor—. Sabes muy bien que esa noche estuvimos trabajando hasta muy tarde.

—Sí —admitió ella—. Lo sé. Terminamos pasada la medianoche.

—En ese caso, ¿por qué te atreves a asegurar que maté a alguien que estaba a más de cuarenta kilómetros de distancia?

—Eso fue lo que en un principio me impulsó a no pensar en ti —admitió Fulgencia mirándole directamente a los ojos—. Estuvimos juntos hasta muy tarde, y no tienes coche, aunque de poco te hubiera servido visto que no sabes conducir. A nadie en su sano juicio se le ocurriría que hubieras sido tú, pero una mañana te vi correr y eso me recordó que Ramiro aseguraba que en cuanto fueras un poco mayor podrías ganar la maratón «sin tan siquiera despeinarte».

—¿Y crees que fui capaz de hacer cuarenta kilómetros de ida y cuarenta de vuelta corriendo sin parar?

La otra asintió, convencida.

—Y supongo que los hiciste a campo traviesa, a oscuras y procurando no acercarte a ningún pueblo ni ninguna carretera, para que nadie pudiera verte.

—¡Estás loca!

—No lo estoy y lo sabes. Lo que en verdad te delató no fue que te viera correr, eso es algo a lo que ya estoy acostumbrada. Pero mientras limpiaba la mesa de trabajo de Ramiro descubrí sus libretas de notas, y tuve la sensación de que dos días antes no estaban allí. —La peruana sonrió con dulzura—. Te aseguro que no había advertido su ausencia, pero sí reparé en su presencia.

—¿Qué quieres decir con eso?

—Que alguien se las había llevado, y es evidente que no podía ser otro que Damián Ojeda; él tenía las llaves de la casa y necesitaba esas libretas para justificar sus supuestos descubrimientos. Y alguien las había devuelto, y ese no podía ser otro que tú, que también tienes las llaves. —Extendió la mano para colocarla con gesto de profundo afecto sobre el antebrazo del muchacho y añadió—: No te preocupes; no te he denunciado, ni pienso hacerlo, aunque me gustaría que me explicaras por qué lo hiciste.

Su acompañante tardó en responder; observó de nuevo el mar, giró luego la vista a su alrededor como si pretendiera asegurarse de que no había nadie en las proximidades y al fin musitó roncamente:

—Ramiro siempre aseguraba que Damián era su mejor amigo. Tú sabes que se jugó la vida para salvarle de una muerte terrible, pero aquel a quien consideraba casi un hermano y a quien no le había pedido nunca nada a cambio del inmenso favor que le había hecho, no dudó un solo instante en traicionarle de la forma más sucia y rastrera que nadie sería capaz de imaginar atribuyéndose el mérito de sus años de trabajo. ¿No crees que se lo merecía?

—¡Naturalmente que merecía un castigo! —admitió la peruana—. Y la cursi, remilgada y ambiciosa de su mujer también, pero a mi modo de ver, les hiciste pagar demasiado caro lo que habían hecho.

—A mi modo de ver, no. Se comportaron como auténticas hienas, lanzándose sobre su presa aun antes de tener la seguridad de que estaba muerta. No esperaron a saber qué era lo que le había pasado a su mejor amigo y entraron en su casa de noche y a hurtadillas con el único propósito de robarle lo que más amaba.

—Eso es muy cierto.

—¡Y tanto! ¿Recuerdas cómo trabajaba Ramiro? ¿Recuerdas cuántas horas se pasaba sentado ante los microscopios y cómo se le enrojecían los ojos, o cuántas veces arrastró su pierna enferma hasta el fondo de aquella maldita cueva en la que sudaba a mares?

—¡Claro que lo recuerdo! —admitió ella—. ¿Cómo iba a olvidarlo si me hacía daño verlo regresar en tan lamentable estado? A menudo le advertí que se estaba matando por una causa absurda.

—Para él no era absurda. Se había convertido en la razón de su existencia y los Ojeda lo sabían… —El saharahui aspiró profundamente, lanzó un largo suspiro y al poco señaló—: Los que hemos nacido en el desierto nos regimos por una ley muy antigua y superior a cualquier otra: la ley de la hospitalidad. Tenemos la obligación de recibir con los brazos abiertos a cualquiera que llegue a nuestra casa y ofrecerle sin reservas cuanto hay en ella. Es algo sagrado, pero igualmente sagrado es el deber de lavar con sangre la ofensa de quien se atreve a despreciar esa hospitalidad.

—¿Y qué tiene eso que ver con los Ojeda?

—Que traicionaron la hospitalidad y la amistad de Ramiro, y agradecido como estoy a cuanto hizo por mí, consideré que, estando él muerto o ausente, me correspondía lavar con sangre aquella afrenta.

—¿Rebanándoles el cuello de cara a La Meca?

—No era necesario que fuera de cara a La Meca —fue la respuesta levemente humorística—. Eso solamente se hace con los animales que piensas comerte.

—No es para tomárselo a broma —protestó ella, visiblemente molesta—. Eran seres humanos. Unos cerdos miserables y ambiciosos, pero humanos al fin y al cabo.

—Un perro agradecido es siempre mejor que un ser humano desagradecido —replicó el chico en un tono que parecía indicar que estaba completamente convencido de lo que decía—. Ramiro era el hombre más generoso del mundo; se arriesgó para salvar a infelices a quienes no conocía, hasta tal punto que al fin se lo tragó el mar. Me llevó a su casa sin preocuparse del riesgo que corría, me curó, me escondió, me consiguió un contrato de trabajo, me ayudó a sacar a mi familia del infierno de Tinduf, y nos prestó dinero para montar el restaurante. Mil vidas que tuviera las daría por él; por ello me hirvió la sangre cuando me enteré de lo que habían hecho aquel par de hijos de una cabra sarnosa.

—¿Y fuiste capaz de ir corriendo a oscuras, entrar en la casa sin que nadie te viera, degollarlos, recuperar las libretas y regresar? ¡Dios bendito!

—Conocía bien la casa de cuando les llevaba pescado. Sabía que podía entrar por un ventanuco del laboratorio, y sabía cómo llegar hasta su dormitorio sin pasar por el salón. Todo fue muy rápido y aún no empezaba a amanecer cuando ya estaba de vuelta.

—¿Y qué hiciste con el cuchillo?

—Lo tiré al mar en un lugar en el que nadie podrá encontrarlo nunca.

—¡Muy astuto!

—No debo serlo tanto cuando me has descubierto.

—Te descubrí por las libretas, pero eso nadie más puede saberlo. Y además soy tu amiga.

—¿Basta esa amistad para no denunciarme?

—¡No! —señaló con firmeza la peruana—. ¡No basta! Pero lo que sí basta es el amor y el respeto que los dos sentimos por Ramiro, y eso nos une más que cualquier otra cosa. Denunciarte sería tanto como denunciarle a él, puesto que me consta, y ahora me lo has confirmado, que lo hiciste en su nombre, aunque estoy convencida de que él nunca lo hubiera aprobado. —Le apuntó acusadoramente con el dedo—. Lo cual no significa que yo lo apruebe.

—Nunca confié en que lo aprobaras —admitió el saharaui—. Ni tan siquiera se me pasó por la cabeza comentártelo, pese a que estoy convencido de que en el fondo no estás por completo en desacuerdo.

—Te equivocas. Estoy en completo desacuerdo.

—¡No! —insistió Mubarrak con una leve sonrisa—. No me equivoco, porque me consta que pese a la diferencia de edad, de sexo, de religión e incluso de raza, nos parecemos mucho. Procedemos de mundos en los que la vida de las personas no tiene el mismo valor que aquí. Recuerdo que una noche nos contaste que habías asistido al linchamiento del alcalde de un pueblo vecino al tuyo porque se había quedado con el dinero de la comunidad.

—¿Y eso qué tiene que ver?

—Que por el modo en que lo contabas resultaba evidente que estabas de acuerdo con los que lo hicieron, e incluso juraría que tomaste parte en ello, porque eres de las que, como yo, están hartas de los abusos y las injusticias. Los dos hemos pasado mucha hambre, los dos hemos tenido una vida muy dura, a los dos nos han explotado: a ti como prostituta callejera; a mí, como pastor de cabras. Por lo tanto, los dos tenemos un concepto muy distinto del que pueda tener Ramiro o la policía sobre el derecho a la vida de determinados individuos, que como los Ojeda, no tienen derecho a vivir.

—¡Qué callado te lo tenías!

—Mi abuelo solía decir que el hombre que calla vive en paz hasta que le llega el momento de decir la verdad y entonces, todos le escuchan. Pero que el hombre que habla demasiado vive en guerra por culpa de sus palabras, y cuando quiere decir la verdad, nadie le escucha.

—¿Por qué todo el mundo tiene un abuelo que decía cosas inteligentes? —se lamentó la peruana—. El mío era un acémila que no aprendió a rebuznar porque las alpacas no rebuznan. Aunque aprendió a escupir como ellas y, en lugar de regañarme, me lanzaba unos salivazos que me alcanzaban a cuatro metros de distancia. Era un bestia que intentó violarme cuando aún no había cumplido los doce años. Por suerte no se le puso dura. —Hizo una corta pausa y al fin musitó—: Pero a mi hermano sí que se le puso.

Apareció por el este-nordeste, de brazos de los vientos alisios, y aunque a primera hora de la mañana apenas era algo más que un punto en el horizonte, pronto comprendí que se dirigía directamente hacia mí, puesto que el Timanfaya se encontraba justo en mitad de su ruta.

Con todas las velas desplegadas semejaba un alcatraz que se deslizara rozando la superficie de las largas y tranquilas olas, que habían cobrado ahora un color azul intenso como de tinta china; reconozco que aunque en un principio me alegró verle, al poco experimenté una especie de decepción, debido quizá a que me había hecho a la idea de ser el primer ser humano que atravesaba el océano Atlántico sin ayuda de motores, velas o remos.

Alcanzar la costa americana desde la otra orilla, siempre a la deriva y ayudado tan solo por una red sobre la que no ejercía el menor control, hubiera constituido a mi modo de ver una curiosa aventura digna de figurar en los anales de las hazañas marineras.

Pero si quiero ser sincero debo admitir que en aquellos momentos no tenía la más remota idea de si aún hubiera tardado una semana, un mes o un año en vislumbrar el Nuevo Mundo.

Cierto es que en su día había obtenido sin gran esfuerzo el título de patrón de yate, pero no es menos cierto que mis conocimientos sobre el noble arte de la navegación dejan mucho que desear en cuanto me he alejado más de seis millas de la costa.

No tengo ni idea de cómo se maneja un sextante, no sé calcular una deriva y nunca he entendido bien cuál es la diferencia entre un trinquete y un juanete.

Lo mío siempre ha sido poner el motor en marcha y levar anclas procurando no perder de vista la montaña o el faro más cercanos, por lo que sin la referencia de lugares conocidos soy como un ciego que tan solo es capaz de saber dónde se encuentran los cuatro puntos cardinales consultando una brújula.

Por eso supe que el veloz velero llegaba del este-nordeste.

Y por eso comprendí que mi aventura se quedaría simplemente en una de las mil historias de náufragos que corren de boca en boca por las tabernas de todos los puertos de este mundo.

Tal vez por ello experimentaba aquella especie de amarga tristeza.

Tal vez por ello, o porque observé cómo las velas aumentaban de tamaño y comprendí que mi romántica odisea estaba llegando a su fin con más pena que gloria.

La soledad ha sido siempre la mejor compañera del ser humano cuando este no se ve obligado a estar solo, y en aquella ocasión, aunque pudiera considerarme prisionero de una red, nunca tuve la sensación de que mi soledad fuera obligada.

Lancé una bengala pero estaba tan húmeda y pasada de fecha que apenas sonó como algo más que un pedo de vieja, aunque a decir verdad ni siquiera mereció la pena el esfuerzo pues resultaba evidente que hacía ya mucho rato que los tripulantes del yate habían reparado en mi presencia.

Los Parker eran el matrimonio maduro más británico con el que alguien pueda tropezarse cualquier soleada y tranquila mañana en medio del océano; cuando arriaron velas para colocarse al pairo, a no más de cinco metros de distancia, ni siquiera cometieron la incorrección de demostrar la natural sorpresa que debía de motivar mi incómoda y evidentemente inusual situación.

—¡Buenos días! —se limitaron a saludar con una amable sonrisa—. ¿Podemos serle de utilidad?

—Si no significara mucha molestia les quedaría profundamente agradecido de que me aceptaran como pasajero hasta su puerto de destino —repliqué en idéntico tono y casi con idéntica sonrisa.

—Nos dirigimos a la isla de la Martinica, en el Caribe. ¿Le va bien?

—Perfectamente.

El marido, un cincuentón muy tostado por el sol y en el que se reconocía a simple vista a un auténtico «lobo de mar» curtido en miles de millas de navegación, se limitó a señalar con un leve gesto de la cabeza al Timanfaya y preguntó:

—¿Qué hacemos con su barco? En ese estado constituye un grave peligro para la navegación.

—¿Le parece bien que le prendamos fuego? —quise saber.

—Suyo es —replicó con una leve sonrisa y una flema muy británicas—. Usted decide.

Los depósitos del Timanfaya se encontraban casi a tope de combustible y yo tenía por costumbre cargar con dos bidones de reserva que derramé sobre cubierta; tras depositar sobre el velero, que respondía al curioso nombre de Correcaminos del mar, mis escasas pertenencias personales, salté a bordo, prendí fuego a un pedazo de estopa y lo arrojé con profundo pesar sobre el fiel compañero que había sabido mantenerme a salvo durante tan larga y peligrosa travesía.

Ardió como una tea; la superestructura comenzó a desaparecer muy lentamente; al cabo de quince minutos apenas quedaba nada sobre la superficie del mar. Cuando ya no estuvo en condiciones de flotar, el pesado motor, el eje y la hélice se hundieron arrastrando tras de sí la enorme red que evidentemente no volvería a atrapar a ningún otro desprevenido navegante.

—Triste, ¿no es cierto? —comentó la mujer colocándome una mano sobre el hombro.

—Triste, en efecto —respondí—. Era un buen barco.

—Tenía que serlo para haber llegado tan lejos en semejantes circunstancias. ¿De dónde zarpó usted?

—De la isla de Lanzarote, en las Canarias.

—La conocemos. ¡Curioso lugar! Muy distinto de cuantos solemos encontrar por esos mundos de Dios.

Cuando de lo que fuera mi barco no quedaba más que una sucia mancha de aceite y algunos restos de madera a medio quemar que flotaban mansamente, el Correcaminos del mar izó todo su velamen y puso proa a la isla de la Martinica.

Una hora más tarde, Steven Parker consiguió establecer contacto con la comandancia del puerto de Santa Cruz de Tenerife y pudo comunicar a quien estaba a la escucha que un español que respondía al nombre de Ramiro Escribano, y que al parecer llevaba casi dos meses perdido en alta mar, se encontraba sano, a salvo y en perfecto estado de salud.

Tal vez pueda parecer sorprendente que mi estado de salud fuera perfecto, pero lo cierto es que una larga dieta a base de pescado, tortuga, galletas y algo de arroz, me había hecho perder cuatro o cinco kilos pero no me había provocado la menor molestia.

Creo que ya he señalado en alguna ocasión, que pese a estar contrahecho y «mal acabado» exteriormente, mi interior siempre ha funcionado con la regularidad de un reloj suizo; ni siquiera cincuenta y tantos días de viento, lluvia, mar y sol habían conseguido alterar el buen funcionamiento de tan, en apariencia, frágil maquinaria.

Me sentía fuerte, animoso, lleno de vitalidad y decidido a conseguir que se hiciera justicia y el inhumano capitán del Kansas Star pagara por sus crímenes.

No obstante, siempre flemático, Steven Parker, que al parecer había pasado la mayor parte de su vida a bordo de naves de todos los tipos y tamaños, se limitó a mover negativamente la cabeza al tiempo que señalaba:

—*No se haga demasiadas ilusiones.*

—*¿Qué pretende decir con eso? —me sorprendí.*

—*Que por desgracia tengo una larga experiencia en este tipo de problemas, y me consta que resulta muy difícil llevar ante un juez a uno de esos malditos capitanes asesinos.*

—*¿Por qué?*

—*Porque cada país tiene sus propias leyes y los barcos que se matriculan bajo bandera de conveniencia, como es el caso de Liberia o Panamá, utilizan infinidad de subterfugios legales de tal modo que rara vez se puede dictaminar quién debe juzgarlos. Como los hechos ocurren en aguas internacionales, la mayoría de los gobiernos optan por eludir sus responsabilidades, con lo cual se ahorran mucho dinero e infinidad de problemas.*

—*Me cuesta creerlo.*

—*Lo entiendo, pero esas cosas son como son y no hay quien las arregle. ¿A qué gobierno le interesa meter en unas cárceles que por lo general se encuentran abarrotadas, a un ciudadano de otro país que ha asesinado a otro ciudadano de otro país fuera de sus fronteras, y al que para colmo tendrá que alimentar, vestir y cuidar durante diez o doce años a cargo del presupuesto nacional?*

—*Supongo que a un gobierno que crea en la justicia.*

—*¿Lee usted los periódicos?*

—*Normalmente.*

—*¿Ve usted la televisión?*

—*A veces...*

—*En ese caso, amigo mío, le ruego que me nombre una sola nación supuestamente «civilizada» que, a su modo de* ver, estaría dispuesta a juzgar a un ciudadano de origen griego, turco, americano o coreano, capitán de un barco con bandera liberiana, cuyos propietarios probablemente se ocultan tras una empresa fantasma de las islas Caimán, porque ha abandonado en fecha no determinada a tres polizones supuestamente de origen camerunés y cuyos cadáveres no han aparecido en algún impreciso lugar de las aguas internacionales del océano Atlántico.

—¿Pretende decir con eso que en este caso la justicia es prisionera de las circunstancias?

—¡Desde luego! —replicó convencido—. Y no en este caso concreto, sino en la mayor parte de ellos. La justicia que nosotros conocemos no es más que un invento del ser humano para defender sus intereses de los intereses de otros seres humanos, y por lo tanto siempre estará al servicio de quien dicta las leyes. Si no lo entiende así, es que no vive en este mundo.

Aquel quisquilloso inglés era cruelmente sincero, pero al propio tiempo extraordinariamente lúcido; durante los cuatro días que duró la travesía hasta la Martinica tuvimos tiempo de hablar de muchas cosas que me resultaron de enorme interés.

Steven Parker amaba el mar, y eso nos unía, pero su visión de la vida y de la sociedad era muy distinta de la mía; sin embargo, no me avergüenza admitir que en ciertos casos me abrió los ojos a conceptos que no tenía muy claros, sobre todo en lo que se refería a aquel espinoso tema de la posibilidad o no de castigar al capitán del Kansas Star.

El resultado de todo ello fue que cuando al fin puse de nuevo el pie en tierra firme estaba profundamente desconcertado.

Alanis Bermejo decidió que aquella era una noticia que tenía que dar en persona, por lo que acudió a media mañana a La Cueva del Pulpo, donde se encontró a Fulgencia sentada junto al ventanal de una luminosa y pulcra cocina, atareada en pelar un enorme montón de patatas.

—Está vivo —acertó a decir, pese a que llevaba más de una hora buscando las palabras más apropiadas para expresar lo que en verdad sentía ante tan insólito hecho.

Si esperaba un grito y un salto de alegría sufrió una decepción, puesto que la peruana se limitó a quedarse muy quieta con el cuchillo en alto; después se limpió el sudor de la frente con el dorso de la mano y lanzó un hondo suspiro de alivio.

—¡Bendito sea Dios que a veces escucha! —musitó—. Ya empezaba a inquietarme.

—¿Realmente estabas convencida de que Ramiro seguía con vida después de tanto tiempo?

—¡Desde luego! ¿Sabe cómo se encuentra?

—Por lo que he podido entender, perfectamente. —La recién llegada hizo un leve gesto con el que pretendía mostrar la gran admiración que sentía por el ausente—. No cabe duda de que debe de ser un tipo muy fuerte.

—¿Fuerte? —repitió su sorprendida interlocutora alzando el dedo meñique—. Ramiro es un escuerzo que no debe de pesar ni sesenta kilos, pero le garantizo que se gasta un par de cojones del tamaño de esa patata. ¿Tiene una idea de cuándo volverá?

—¡Ni idea! —admitió la policía sin el menor reparo—. Por lo visto un yate que se dirigía a la Martinica lo recogió, lo que significa que tienen que llegar hasta allí, arreglar el papeleo en el consulado e incluso tal vez quedarse un par de días en observación. Pero todo eso carece de importancia frente al hecho de que ha conseguido sobrevivir casi dos meses en el mar. ¡Me encantará conocerle!

—Cuando esté de regreso en la isla la invitaré a un buen plato de arroz con lapas, que siempre ha sido mi especialidad. A él le encanta. —Indicó con la barbilla la enorme nevera y preguntó—: ¿Una cerveza?

—Prefiero un refresco, si no te importa. —La policía tomó asiento al otro lado de la mesa, aguardó a que le sirviera lo pedido y, tras beber lentamente, inquirió—: ¿Te has enterado de que el ucraniano y su gente se han largado de la isla? Nadie sabe adónde diablos han ido, pero no se los echará de menos y pocos esperan que regrese.

—No lo sabía… —admitió su interlocutora—. Pero me parece una estupenda noticia para mis ex compañeras de trabajo. Ahora lo que la policía tiene que hacer es procurar que Goyo «el Culoplaza» no consiga hacerse con el control del negocio. Le tenía terror al ucraniano, pero a mi modo de ver es incluso más peligroso porque, además de ser un sádico, odia a las mujeres.

—No tienes que preocuparte por él; va a pasar una larga temporada a la sombra por haber acuchillado a su amante.

—¿Al «Pinche Braulio»…? —Ante el mudo gesto de asentimiento la peruana no pudo por menos que alzar su vaso de cerveza en un mudo brindis—. ¡Está claro que hoy es un día de buenas noticias! —exclamó—. Tan solo faltaría que me aclarase quién mató a los Ojeda.

—La verdad es que en eso estamos tan a oscuras como al principio —admitió con loable sinceridad Alanis Bermejo—. Desde Madrid nos han enviado a un par de «sabios» del departamento científico con el fin de que investiguen a su manera, pero tengo la impresión de que tampoco van a sacar nada en limpio. Por lo visto ha pasado demasiado tiempo y si existió alguna huella digna de ser tenida en cuenta, debe haber desaparecido.

—Lo lamento. ¿Y qué piensan hacer al respecto? La gente de la isla está muy inquieta con esas muertes.

—¿Y qué podemos hacer? Las escasas pistas que teníamos no han conducido a parte alguna, y nuestra última esperanza estriba en recuperar esas dichosas libretas.

—¿Qué libretas?

—Cuatro libretas de tapas negras en las que los Ojeda habían ido anotando el resultado de sus estudios. El asesino debe de estar convencido de que valen mucho dinero puesto que es lo único que se llevó de la casa pese a que había joyas a la vista.

—¿Tan importantes eran esos estudios?

—Eso dicen… —admitió de mala gana la pelirroja—. Aunque si quieres que te sea sincera, a mí me parecen una soberana memez de la que no creo que nadie pueda sacar un duro. ¿A quién le importa cómo comenzó la vida sobre la Tierra hace quinientos millones de años? Eso no da ni para un programa de televisión, y todo el mundo sabe que lo que hoy en día no proporcione audiencia a la televisión ni da dinero ni le interesa a nadie.

—¡Muy escéptica la veo! —señaló Fulgencia, que había reanudado su tarea de pelar patatas y que al poco inquirió como si careciera de importancia—: ¿Me permite que le haga una pregunta?

—Depende de la pregunta.

—¿Está embarazada?

—¡Joder! ¡Ya van dos! ¿Tanto se me nota?

—Lo suficiente.

—¡Pues vaya una gracia! —se lamentó la policía—. Vengo hasta aquí a traerte buenas noticias y me lo agradeces de esa forma.

—Estar embarazada también es una buena noticia.

—Te lo diré cuando conozca la reacción de Rayco.

—¿Aún no lo sabe? —Como advirtió que su acompañante guardaba silencio, la peruana preguntó—: ¿Y a qué espera para decírselo?

—Al momento oportuno.

—Todos los momentos son oportunos para decirle a un hombre que va a ser padre, excepto si es el día que ha elegido para casarse con otra.

—… o está empeñado en perseguir a supuestos narcotraficantes —concluyó la frase la pelirroja

—¿Supuestos narcotraficantes? —repitió, desconcertada, su interlocutora—. ¿Qué tiene que ver el buenazo de Rayco con los narcotraficantes?

—Nada. Pero desde hace un par de semanas vive obsesionado con la idea de que algunos windsurfistas extranjeros se dedican a navegar aguas afuera, donde supuestamente recogen paquetes de hachís o cocaína que luego introducen tranquilamente en la isla por cualquier cala solitaria, o incluso por las playas más concurridas, sin que las patrullas costeras consigan detectarlos.

—¡Santo Dios! ¡Cómo se las ingenian esos canallas! ¿Y usted cree que puede haber algo de cierto?

—¿Y yo qué sé? —se lamentó la otra mientras apuraba

su bebida al tiempo que hacía un gesto hacia la bahía, en la que se distinguían una docena de velas que parecían volar sobre las olas entre saltos y piruetas—. Cada año llegan a la isla cientos de windsurfistas de todas las nacionalidades y clases sociales en busca de nuestro mar y nuestros vientos, que por lo visto son los mejores del mundo para practicar ese deporte. La mayoría no tienen ni oficio ni beneficio, y es muy posible que los «narcos» les convenzan con la promesa de que pueden ganar mucho dinero con muy poco riesgo, puesto que en cuanto sospechan que corren el menor peligro se limitan a dejar caer el paquete al mar, donde se hunde en un instante.

—¿Y de dónde recogen esos paquetes?

—De embarcaciones que llegan desde la costa africana pero se mantienen fuera de nuestro alcance. Según los últimos estudios, España se ha convertido en el primer consumidor de drogas de Europa, y casi iguala a Estados Unidos. Este archipiélago es como un gigantesco portaaviones colocado estratégicamente entre el cannabis del norte de África, la heroína de Nigeria y la cocaína colombiana. Si no hacemos algo pronto la mitad de nuestra juventud se irá al garete.

—En eso tiene toda la razón y lo sé porque es algo que viví muy de cerca cuando pateaba las calles —admitió sin el menor rubor la ex prostituta—. La mayoría de las chicas estaban enganchadas a alguna de esas mierdas, y sabido es que la que se mete en eso nunca sale. Con mucha suerte y algo de ayuda, como en mi caso, puedes dejar de ser puta, pero raramente dejas de ser yonqui.

—¿Y nunca habías oído hablar de esta nueva forma de importar droga? —quiso saber la pelirroja.

—¿Con «camellos» windsurfistas…? —preguntó Fulgencia sin poder evitar que se le escapara una carcajada—.

¡No, por Dios! ¿A quién se le ocurre? He conocido a muchos culeros colombianos que traían cocaína en el estómago, pero siempre tuve la impresión de que esos guapos mocetones y esas muchachas esculturales que se pasan la vida correteando sobre las olas o tomando el sol en la playa estaban muy lejos del mundo de la delincuencia.

—Y de hecho lo están —admitió su interlocutora—. La mayoría son chicos sanos que no piensan más que en hacer el amor sobre la arena o hacer el loco sobre las olas, pero los traficantes son capaces de corromperlo todo. Por eso Rayco está muy cabreado y no habla más que de romperle la cabeza a quienes destruyen una forma de ver la vida algo alocada, pero en la que tradicionalmente se respetan las leyes.

—Lo comprendo —admitió la peruana—. Aunque hay algo que debe tener muy presente; si alguien está ganando mucho dinero con eso, su novio debe andarse con cuidado. Esos tipos no dudan en abrirle las tripas a quien se interponga en su camino.

—¿Se te ocurre algún nombre? —Ante el largo silencio de su interlocutora, la pelirroja insistió—: No te estoy pidiendo que acuses sin tener pruebas; tan solo que me digas si cuando practicabas el oficio alguna de tus compañeras mencionó la identidad de quien le proporcionaba la droga.

—¡Sí, desde luego! Pero en su mayoría eran «camellos» de poca monta, de los que ustedes detienen dos o tres veces al mes. Los conocen mejor que yo, e incluso supongo que sospechan de un par de empresarios locales que últimamente se han hecho muy ricos con negocios que en apariencia apenas dan para cubrir gastos. Ellos son los que en realidad manejan el «cotarro» aquí en la isla.

—¿Por casualidad uno de ellos es el propietario de una agencia de viajes con más oficinas que clientes? —Ante el mudo gesto de asentimiento, Alanis Bermejo insistió—: ¿Y otro de un par de zapaterías?

—Si ya lo sabía, ¿por qué me lo pregunta?

—Porque en realidad no lo sabemos; tan solo lo sospechamos, y lo que estamos intentando es confirmar nuestros datos con nuevas fuentes de información. De ese modo podremos conseguir que un juez nos autorice a intervenir sus teléfonos.

—Pues si quiere confirmación digna de todo crédito, hable con Gabriela, la encargada del bar Cañabrava. Esa, a cambio de un permiso de residencia, le cuenta todo lo que quiera saber con pelos y señales.

—No nos está permitido utilizar los permisos de residencia como moneda de cambio.

—Pues debería estarlo porque, en el mundo en que nos ha tocado vivir, para muchos desgraciados un permiso de residencia vale más que el dinero. Y si no me cree pregúntele a esa legión de inmigrantes clandestinos que han dado todo cuanto tenían para poder llegar en una patera aun a sabiendas de que jamas obtendrán ese permiso. A Gabriela no podrá comprarla con euros, pero sí con un simple papel que le garantice que se puede quedar a vivir con su hijo en España para siempre.

—Se agradece el consejo —señaló la pelirroja al tiempo que se ponía trabajosamente en pie y se llevaba las manos a la cintura con gesto de dolor—. Y ahora debo irme, pero recuerda que me debes un arroz con lapas.

—Será un placer. ¿Me llamará en cuanto tenga noticias de Ramiro?

—¡Naturalmente!

En el momento en que el coche de Alanis Bermejo enfiló el borde de la playa para girar a la derecha y alejarse hacia el interior de la isla, el joven Mubarrak fue a tomar asiento en la misma silla que había estado ocupando y preguntó, visiblemente nervioso:

—¿Era esa la mujer policía?

—Lo era.

—¿Sospecha algo?

—¡En absoluto! No ha venido por lo de los Ojeda. Ha venido a comunicarme que Ramiro está sano y salvo.

En esta ocasión la reacción fue muy distinta; el muchacho dio un grito de alegría, comenzó a hablar en su incomprensible dialecto tribal y al fin corrió a abrazar a su acompañante, aun a riesgo de clavarse el afilado cuchillo que esta tenía en la mano.

—¡Alá es grande! —repetía una y otra vez—. ¡Alá es grande y lo ha salvado! ¿Cuándo estará de vuelta?

—Aún tardará unos días, y espero que sean suficientes para que podamos arreglar las cosas.

—¿Qué cosas?

Por toda respuesta Fulgencia se puso en pie, abrió la puerta, se cercioró de que el amplio comedor aún se encontraba vacío y por último contestó casi con un susurro:

—Están buscando las libretas de notas. Han debido de darse cuenta de que ya no estaban en casa de los Ojeda y, de algún modo, las asocian con su muerte. Por suerte supongo que no las relacionan con Ramiro. Aunque son un poco especiales, él nunca les ponía su nombre ya que siempre las tenía en la casa.

—¿Y dónde están ahora?

—Enterradas.

—¿Enterradas? —se sorprendió el saharahui—. ¿Y eso?

—Las enterré en un lugar seguro porque son la única

prueba que nos relaciona con la muerte de los Ojeda. Si la policía tuviera noticias de que en realidad fue Ramiro quien descubrió el secreto del origen de la vida empezaría a atar cabos, buscaría en su entorno y acabaría por dar con nosotros.

—Querrás decir conmigo.

—He dicho con nosotros, y he dicho bien.

—Pero tú no tienes por qué preocuparte… —protestó ruidosamente el muchacho—. ¡Lo hice yo solo!

—Pero yo te estoy encubriendo.

—¿Y quién va a saberlo? No tenías por qué haber notado que esas libretas faltaron de casa de Ramiro durante unos días. Tú no vives allí; únicamente vas a limpiar de tanto en tanto.

—En eso puede que tengas razón —admitió la peruana—. No tenía por qué haber notado que faltaban, pero ahora que sé que las buscan tendría que advertir que están de vuelta en la casa.

—Pero tú misma has dicho que ya no lo están… —le recordó el muchacho—. Si fui yo quien se las llevó, también puedo haber sido yo quien las enterró, con lo cual tú no tenías por qué sospechar nada. Al fin y al cabo no son más que libretas de las que usa todo el mundo.

—No son de las que usa todo el mundo —puntualizó ella—. Tú sabes muy bien que son ligeramente distintas, pero eso carece de importancia. El verdadero problema es otro.

—¿Cuál?

Lo primero que hice al llegar a la isla de la Martinica fue comunicarme con el cónsul español para certificar que efectivamente me encontraba vivito y coleando.

A continuación me encaminé a la Comandancia de Marina con el fin de presentar una denuncia en toda regla contra el capitán del Kansas Star.

El atento funcionario que me recibió, un mulato enorme y sudoroso que lucía la más espectacular dentadura que jamás había visto, pareció tardar un buen rato en entender, quizá debido a mi rudimentario francés, cuáles eran mis verdaderas intenciones; al fin, como si su explicación lo aclarara todo sin dar pie a malas interpretaciones, señaló:

—Comprenda señor que nosotros no somos más que un pequeño «departamento de ultramar», nuestras atribuciones suelen ser muy limitadas, y lo que usted pretende es de tal envergadura que tan solo puede tramitarse desde la metrópoli. Esta denuncia tiene que presentarla en París, no aquí.

—Pero supongo que las leyes serán las mismas aquí que en París —argumenté con lo que se me antojó una lógica aplastante.

—Una cosa son las leyes, y otra las atribuciones que se otorgan a quien está obligado a hacer que se cumplan... —respondió con una deslumbrante sonrisa conciliadora—. Lo que sí puedo asegurarle, es que si yo me molesto en tramitar su demanda pasarán meses hasta que llegue a quien puede tomar decisiones, y la experiencia me dice que lo más probable es que la archiven sin tan siquiera molestarse en estudiarla. En la capital aseguran que los isleños somos unos pedigüeños y que están hartos de mantenernos, por lo que documento que llega, documento que va a parar a la papelera. ¡Hágame caso! Si busca justicia intente encontrarla en París, aunque mi consejo es que se olvide de ello.

«Con la burocracia hemos topado, amigo Sancho», pues sabido es que en los tiempos que corren la burocracia se ha apoderado del papel que antaño desempeñaban al-

gunos miembros de la Iglesia, y que no era otro que practicar el inmovilismo más acérrimo poniendo trabas al progreso e impidiendo que los miserables pudieran incomodar a los poderosos.

Los intereses de tres inmigrantes clandestinos, cuyos cadáveres ya habían sido devorados por los peces, nada significaban frente a los intereses de una gran empresa naviera o uno de sus abyectos capitanes.

Abandoné las oficinas de la Comandancia de Marina indignado, no con el mulato de la amistosa sonrisa, sino con aquel que durante unos días había creído que podía erigirse en vengador de tres pobres negros cruelmente asesinados; es decir, yo.

Me enfurecía mi candidez.

Una vez más había caído en la estúpida trampa de creer que las cosas serían como lógicamente tenían que ser.

Y lo cierto es que nada hay más lejos de la realidad.

Nada es como debería ser, y nada responde a las expectativas que cualquier ser humano razonable suele tener sobre el lógico devenir de los acontecimientos.

Incluso empezaba a plantearme seriamente si la repercusión que esperaba por parte de la comunidad científica en el momento en que sacara a la luz mi gran «descubrimiento» llegaría a tenerse en cuenta en la siguiente esquina.

Durante aquel largo periplo por el mar a solas con mis pensamientos, habían sido más las dudas y los temores que la certeza y la confianza, porque quien, como yo, se ha acostumbrado a recibir golpes y desprecio desde que tiene uso de razón, jamás confía en que algún día su destino pueda cambiar de un modo sustancial.

La inseguridad engendra sus propios hijos, al igual que los engendra la seguridad. En ocasiones he llegado a pensar que la suerte es como una gigantesca célula que se fecunda a sí misma, se multiplica sin razón aparente y llena a rebosar el cuerno de la abundancia de aquel a quien elige, que la mayor parte de las veces ni siquiera demuestra ser digno de dicha elección.

¿Acaso el mundo se había vuelto lo suficientemente cuadrado como para que un hospiciano, manco, cojo y feo tuviera la oportunidad de alcanzar la gloria por haber sido capaz de desvelar el más oscuro misterio?

En buena lógica el porqué del origen de la vida tendría que haberlo desvelado un científico con aspecto de director de orquesta, de los que tienen una estilizada silueta, facciones griegas, ademanes exquisitos y nívea cabellera; alguien parecido al Adán que pintó Miguel Ángel en la Capilla Sixtina; alguien digno de que el Creador le entregara en propia mano el más preciado de sus secretos.

Nunca, desde luego, a un muerto de hambre que se llamaba Ramiro Escribano, tenía una pierna más corta que la otra, una mano engarfiada, la boca torcida, los ojos demasiado pequeños y un principio de alopecia en verdad preocupante.

El cine y la televisión han contribuido a proporcionarnos una imagen del héroe y el triunfador y otra muy distinta del villano o el fracasado, y yo no necesito mirarme al espejo para saber que pertenezco —y siempre perteneceré— al grupo de los estéticamente menos favorecidos.

Es posible que parezca absurdo que un hombre inteligente, y eso me consta que lo soy, opine de un modo tan simplista, pero lo cierto es que en mi caso tales apreciaciones vienen avaladas por medio siglo de amarga experiencia personal.

¿Qué decisión debía tomar el día en que regresara a casa y me encontrara sobre la mesa con los resultados de dos largos años de estudio y sacrificio?

Admito que se han reído tanto de mí en esta vida que me aterrorizaba la idea de que alguien pudiera volver a reírse, sabiendo, además, que en este caso no lo harían por mi deplorable aspecto, del que poca culpa tengo, sino por la inutilidad de mis esfuerzos.

El miedo a la muerte o al dolor físico es sin duda algo terrible, pero el miedo al sufrimiento mental no le va a la zaga.

Las chicas eran ciertamente esculturales, y los muchachos, bronceados y atléticos, por lo que un cincuentón vestido de calle, calvo y ligeramente tripudo no podía evitar sentirse cada vez más incómodo a medida que avanzaba por una larga playa en la que destacaba como elemento perturbador de una estética que parecía extraída de una campaña publicitaria.

Largas olas rompían sobre la arena y el agua aparecía de un cristalino color esmeralda, permitiendo que sobre su superficie se deslizaran docenas de tablas, unas con velas, otras sin ellas, sobre las que una juventud feliz y despreocupada disfrutaba como si en el mundo no existieran un millón de problemas de difícil o imposible solución.

Nada más lejos de aquel lugar que el terrorismo, la guerra de Irak, los brutales asesinatos de niños de Gaza ordenados por Ariel Sharon, la cobarde y estúpida política del presidente Bush, o el cruel submundo de las pateras y la inmigración clandestina.

Tan paradisíaco rincón de la isla de Lanzarote no parecía tener nada que ver con el resto del planeta, por lo que el circunspecto Antonio Lombardero, que era un hombre acostumbrado a tener siempre los pies sobre la tierra, parecía evidentemente desplazado.

Sudoroso y resoplando, alcanzó un sombrajo que parecía ser el único lugar en el que poner su reluciente cabeza a salvo de los inclementes rayos del implacable sol de mediodía, y buscó con la vista hasta distinguir sobre una tabla de surf la poderosa e inconfundible figura de Rayco Granero.

Lo llamó agitando los brazos; al poco, el gigantón se aproximó deslizándose graciosamente sobre el agua, varó la tabla en la arena y se quedó de pie con la naturalidad de quien está acostumbrado a pasar de un elemento físico a otro sin el menor esfuerzo.

—¡Buenos días! —le saludó con afecto.

—¡Buenos días! —replicó en el mismo tono el recién llegado—. ¿Cómo tú por aquí, tan lejos de tus criminales y tus papelotes?

—Tengo que hablar muy seriamente contigo.

El canario, que era sin lugar a dudas un tipo hercúleo y salvajemente atractivo, se dejó caer sobre la arena y le hizo un significativo gesto para que se acomodara frente a él.

—¡Tú dirás!

—Tenías razón con lo de esos tres windsurfistas que se dedicaban a traer droga en sus tablas; hemos conseguido coger con las manos en la masa a Rodolfo Beltrán y a unos originales «correos acuáticos» que pasarán mucho tiempo a la sombra antes de estar en condiciones de volver a las playas.

—Lo cual me alegra cantidad porque me tocaba los huevos que se dedicaran a perturbar una forma de entender la vida con la que me consta que estás en desacuerdo, pero que a mi modo de ver es la más sana que existe. Aquí nadie le hace daño a nadie.

—Yo nunca he estado en desacuerdo con tu forma de entender la vida… —le contradijo su interlocutor—. Me parece muy apropiada para quien no tiene problemas familiares ni económicos, aunque considero que llega un momento en el que un hombre tiene que afrontar sus responsabilidades.

—Quien las tenga, que las afronte —fue la despreocupada respuesta—. Por mi parte he descubierto que la mejor forma que existe de no tener que afrontar responsabilidades es no buscárselas. La mayoría de cuantos frecuentan estas playas no suelen tener otro objetivo que encontrar buen sol, buen viento, buenas olas y una cariñosa compañía.

—¡Demasiado cómodo!

—Pero mucho menos dañino que ir por ahí jodiendo al prójimo por pura ambición o por la necesidad de sentirse importante —sentenció, seguro de lo que decía, Rayco Granero—. Aquí al único que se considera importante es al que sabe coger bien una ola o es capaz de mantenerse cuatro horas sobre una tabla por mucho viento que achuche.

—Si todos actuaran de la misma forma, ¿quién haría que el mundo funcionase?

—¡Para como funciona…!

—¡Está bien! —masculló el calvo—. Dejemos un tema sobre el que está claro que nunca conseguiremos ponernos de acuerdo. El caso es que, pese a lo mucho que has intentado evitarlo, ahora tienes unas responsabilidades que afrontar, por lo que no puedes seguir fingiendo que el resto del mundo no existe.

—¿Responsabilidades? —se alarmó a ojos vista el mozarrón—. ¡No me jodas! ¿A qué clase de responsabilidades te refieres?

—A Alanis.

—¿Y qué pasa con Alanis? Que yo sepa, disfruta como una loca persiguiendo «camellos», intentando desenmascarar asesinos o procurando que las putas se vuelvan respetables y abandonen la calle.

—Está embarazada.

—¡Vaya por Dios! ¡Ya era hora!

Antonio Lombardero tardó en responder, se acarició la calva según la inveterada costumbre que evidenciaba que algo le desconcertaba, y al fin inquirió como si temiera haber entendido mal:

—¿Pretendes decir con eso que no te disgusta la idea?

—¿Disgustarme? —se asombró el otro—. Hace tiempo que lo estoy deseando, pero siempre he sabido que para Alanis su trabajo es lo más importante, por lo que no me atrevía a presionarla. ¿Qué opina ella?

—Le preocupa lo que opines tú.

—¡Pero bueno...! —masculló el surfista—. Está claro que podemos convivir años con una persona sin llegar a conocerla a fondo. ¿Cómo puede estar preocupada por mí? Sabe que la adoro y que me encantan los niños. ¿Cuál es el problema?

Su interlocutor tardó en responder y no lo hizo hasta señalar con un amplio ademán de su brazo todo cuanto le rodeaba.

—Supongo que el problema es esta playa y todas esas «guiris» que te miran como si fueras la última Coca-Cola del desierto —dijo.

—La playa seguirá donde está aunque tenga seis hijos, y me he tirado a docenas de «guiris» sin que ninguna de ellas me haya hecho olvidar ni por un minuto a mi enana pelirroja.

—Y si es así ¿por qué razón continúas tirándotelas?

Rayco Granero se limitó a indicar con la barbilla a una estilizada rubia con los firmes pechos al aire que se encaminaba en esos momentos hacia el agua con una tabla de surf bajo el brazo.

—¡No te jode el tío! —exclamó al poco—. ¿Qué harías cada vez que Ingrid te propusiera que te perdieras un rato con ella detrás de aquellas dunas?

—¡Difícil pregunta!

—Resulta muy casi imposible decirle que no a Ingrid, pero te garantizo que me veo obligado a rechazar su amable invitación demasiado a menudo. No obstante, de vez en cuando…

—¡Dichoso tú! —no pudo evitar exclamar con absoluta sinceridad el calvo—. Pero volvamos a lo que importa: ¿Qué piensas hacer con respecto a Alanis?

—Casarme, si ella quiere; aunque no sé para qué diablos va a querer un marido que no sabe hacer nada de lo que la mayoría de la gente considera «de provecho».

—De eso precisamente quería hablarte —señaló el policía—. Por lo que cuentan, eres el mejor profesor de windsurf de las islas, y la única persona que se dio cuenta de lo que estaba ocurriendo con esos traficantes que han sustituido las lanchas planeadoras con poderosos motores fuera borda por una simple tabla con una vela.

—Hubiera resultado muy difícil que alguien pudiera advertirlo si no se pasaba todo el día en la playa o en el mar observando las idas y venidas de tanta gente.

—¡Evidente! Y por eso mismo he consultado con la Guardia Civil y la Comandancia de Marina. Están de acuerdo conmigo en que sería una buena idea que te dedicaras a entrenar a gente nuestra, porque pensamos que, una vez que han encontrado esa nueva forma de introducir la droga con poco riesgo, esos hijos de puta la pondrán en práctica en todas las costas del país, sobre todo en el estrecho de Gibraltar, donde un buen windsurfista puede llegar a Marruecos en un abrir y cerrar de ojos.

El chicarrón le observó de medio lado al tiempo que en sus labios asomaba una de aquellas arrebatadoras sonrisas que tenían la virtud de derretir a las extranjeras.

—¿Por casualidad me estás ofreciendo un trabajo fijo aquí en la playa? —preguntó en cierto modo incrédulo.

—Y bien pagado —puntualizó el calvo—. Te mandaremos a nuestros mejores agentes jóvenes con el fin de que hagas de ellos unos auténticos windsurfistas de primera línea. Sabemos que ni los helicópteros ni las lanchas patrulleras ni los radares servirían de nada para localizar o interceptar a unos tipos que vuelan sobre el agua, y que cuando llegan a la costa se mezclan con docenas de inocentes aficionados que solo están a lo suyo.

—O sea que lo que pretendes es que actúen como «topos» que se mezclen con los windsurfistas y que a la larga puedan distinguir al traficante del simple deportista.

—¡Más o menos!

—¡Joder! —no pudo evitar exclamar el canario—. Me convertiría en el creador de la primera «Policía Montada sobre una tabla de wind». —Rió, divertido—. ¡Menudo farde!

—¿O sea que te interesa la idea?

—¡Me encanta! Siempre, claro está, que no se me considere un policía. En mi ambiente no suelen estar bien vistos.

—Para que se te considerara un policía tendrías que pasar por la academia, y no creo que estés por la labor. Figurarías en la nómina de la Comandancia de Marina.

—¡Eso está bien! Me gusta la marina. Y hablando de policías, ¿qué diablos pasa con el matrimonio que asesinaron? Alanis está obsesionada con ello, pero tengo la impresión de que no se aclara.

—¡Ni ella, ni nadie!

—¿Y eso?

—No encontramos un móvil convincente y, tal como yo suelo trabajar, un crimen sin móvil es como una mujer sin tetas. No tengo dónde agarrarme para empezar la faena.

—¿Y qué pasa con toda esa extraña historia del origen de la vida y las libretas que han desaparecido?

—De momento no son más que eso; extrañas historias que no conducen a parte alguna —masculló de mala gana el policía—. Sin esas libretas es del todo imposible probar que en efecto los Ojeda habían descubierto la dichosa fórmula, puesto que nadie más que ellos conocía cuáles eran los elementos exactos que la componen y en qué circunstancias deberían mezclarse.

—¿Y eso qué quiere decir?

—Que si dentro de un par de años alguien apareciese diciendo que sabe cómo crear vida partiendo de simples elementos químicos, resultaría muy difícil demostrar que eso era lo que ya había descubierto un matrimonio que fue asesinado tiempo atrás en Lanzarote. Sería como acusar a alguien de plagiar un libro que nadie ha leído, o una sinfonía que nadie ha escuchado.

—Un maldito embrollo, ¿no es cierto?

—Tú lo has dicho; un maldito embrollo en que lo único cierto es que existen tres cadáveres que en apariencia no están relacionados entre sí.

—¡Pero se conocían…! —protestó Rayco Granero—. Y al parecer desde hace mucho tiempo.

—Que se conocieran en vida no significa, necesariamente, que estuvieran relacionados a la hora de su muerte, aunque a título personal debo admitir que estoy convencido de que de algún modo lo estaban.

—¿Cómo?

—Eso es lo que no he conseguido averiguar, pero se me antoja demasiada casualidad que Soledad Miranda decidiera suicidarse, o tuviera un accidente, o la mataran, que eso es algo que todavía está por decidir, tres días después del asesinato de los Ojeda. Y no soy de los que creen en ese tipo de coincidencias.

—Alanis sostiene que pudo ser la tal Soledad Miranda, o alguien enviado por ella, quien se cargó a los Ojeda y se apoderó de las libretas, y que tal vez los remordimientos, o el miedo a pasarse el resto de la vida en la cárcel, la impulsaron a suicidarse.

—Esa teoría, por la que sin duda acabaremos inclinándonos oficialmente, no es más que la forma más cómoda de cubrir el expediente y cerrar el caso. Aunque se trata de una auténtica chapuza, es lo único que podemos hacer hasta que encontremos nuevas pruebas.

—¿Qué clase de pruebas?

—¡Y yo qué sé! —protestó el calvo—. Tal vez una confesión en toda regla del verdadero culpable, o tal vez la aparición de alguien que pretenda atribuirse la autoría del descubrimiento del origen de la vida.

El gigante de la ancha sonrisa sonrió más ampliamente que nunca al tiempo que comentaba asintiendo una y otra vez con la cabeza:

—Lo cierto es que tienes razón; sería una verdadera chapuza.

—Escúchame bien, querido amigo… —sentenció el policía, convencido de lo que decía—. La vida diaria está formada por una interminable serie de chapuzas políticas, sociales, económicas, familiares e incluso militares, muchas de las cuales conducen a tremendas catástrofes que se llevan por delante la vida o el bienestar de miles de personas. Tanto mis compañeros como yo nos hemos esforzado al máximo intentando aclarar el misterio de esas muertes, pero debemos aceptar la amarga realidad de que se trata de una serie de crímenes en apariencia disparatados. Tal vez, si algún día, y más por casualidad que por astucia, se consigue aclarar qué sucedió, todo cobre un sentido y nos veamos obligados a admitir que respondía a cierta lógica, pero de momento esto es lo que hay, y a ello nos vemos obligados a atenernos.

Una semana más tarde aterrizaba en Madrid, en un desapacible amanecer de frío, lluvia y cierzo, y aunque mi deseo era continuar viaje a Lanzarote, a disfrutar del sol, el mar y la compañía de mis amigos en mi escondido rincón de Famara, la necesidad de cumplir la promesa que le había hecho a un negro muerto me obligó a permanecer unos días más en la capital.

Busqué el número de teléfono de Bruno Villarreal, que con el paso de los años se había convertido en uno de los mejores abogados del país, concerté una cita, le conté mi historia y le pedí que se hiciera cargo del caso y presentara ante las autoridades competentes una demanda por asesinato contra el capitán del Kansas Star.

Me escuchó atentamente y en absoluto silencio, apoltronado en un sillón de cuero rojo, con una copa de coñac en una mano y un grueso habano en la otra; cuando al fin vio que daba por concluido mi relato, meditó largamente sobre cuanto le había dicho y acabó preguntando en aquel tono pausado, convincente y amistoso tan propio de su encantadora forma de ser y comportarse:

—Antes de darte una respuesta, aclárame un detalle, querido Ramiro: ¿te consideras un hombre rico?

—¡En absoluto!

—¿Cuánto calculas que te podrías gastar en intentar que atrapen a ese hijo de puta, lo juzguen y lo castiguen?

—Ni siquiera lo he pensado —admití, y era cierto.

—¿Un millón de euros?

—Ni remotamente.

—¿Cien mil?

—Tendría que vender cuanto tengo.

—¿Veinte mil?

—Eso tal vez.

—En ese caso, te voy a dar un consejo profesional y gratuito en honor a la vieja amistad que siempre nos ha unido pese a que haga tanto tiempo que no nos vemos: vete a Duala, busca a los familiares de esos infelices, entrégales el dinero que hayas conseguido reunir, a lo que yo contribuiré encantado, y pídeles que pierdan la esperanza de volver a ver a sus seres queridos. Es lo mejor que puedes hacer por los vivos, y por los muertos.

—¿Y dejar en libertad a un asesino para que vuelva a cometer los mismos crímenes? —me escandalicé—. ¿Acaso es eso justicia?

—¡No! —admitió sin cambiar su tono mesurado y armonioso de hombre acostumbrado a hablar en público y a seducir mujeres—. No es justicia, pero es la realidad, y sospecho que después de haber pasado tanto tiempo en tu tranquilo rincón de Lanzarote has perdido el contacto con esa realidad. La justicia es una puta muy cara, y si hablamos de justicia a nivel internacional, se convierte en un auténtico burdel de putas de lujo.

—Me resulta penoso oírte hablar así —le hice notar—. No te pareces en nada al entusiasta y apasionado Bruno

Villarreal que yo recuerdo, capaz de enfrentarse a pedradas a «los grises».

—Una toga ha sido siempre el mejor antídoto contra las pasiones desbordadas, y cientos de horas de estudiar legajos, recorrer pasillos y luchar en los tribunales contra picapleitos sin escrúpulos, la mejor terapia para curar los excesos de entusiasmo. Yo puedo coger tu dinero y poner a mi gente a preparar la documentación oportuna, pero lo haré convencido de que cada euro que gaste es un euro que estaré robando a unos pobres huérfanos que lo necesitan mucho más que yo. Y estoy seguro de que a la larga será dinero tirado a la basura.

—¿Por qué?

—Porque con las pruebas que tenemos no podemos hacer que encarcelen a ese canalla. Todo lo que conseguiríamos sería prevenirle de lo que se le viene encima, y puedes tener por seguro que al día siguiente la naviera mandaría el barco a reparar, e incluso le cambiaría el nombre, a cualquier astillero coreano, al tiempo que repartiría a la tripulación por otros barcos de empresas afines con el fin de que nos resultara imposible encontrar testigos que pudieran corroborar tu historia. Y sin testigos no hay caso.

—Pero se puede interrogar al capitán.

—Que lo negará todo, si no ha desaparecido también. —Bruno Villarreal pareció complacerse en beber muy despacio y hacer una pausa, como si pretendiera darme tiempo para entender la importancia de la lección que iba a dictarme—. Cuando visites cualquier puerto, fíjate bien en la inmensa cantidad de barcos de todas clases que lo frecuentan —dijo—. Vetustos y herrumbrosos petroleros, de esos que de tanto en tanto se parten en dos y contaminan los mares y las costas; cargueros especializados en transportar residuos tóxicos, armas o mercancías peligrosas; sofisticados pesqueros que no dudan en emplear aparejos ilegales con el fin de capturar especies protegidas, e incluso preciosos yates de inofensiva apariencia que suelen traer desde Colombia toneladas de droga… —Lanzó una columna de humo y preguntó con intención—: ¿Quién crees que los tripula?

—Supongo que tipos tan miserables como el capitán del Kansas Star.

—Tú lo has dicho. En el mar existe tanta podredumbre como en tierra, y entre sus hombres hay tanto indeseable como en la ciudad más corrupta. Ese cerdo no tardaría ni siquiera un mes en encontrar otro trabajo en cualquier otro barco de cualquier otro país, y nos tendríamos que gastar una fortuna en detectives privados para intentar localizarle, puesto que ningún juez responsable asignaría fondos a tal fin a sabiendas de que es dinero perdido.

—¡Dios bendito!

Mi viejo, honrado y seductor amigo Bruno Villarreal se limitó a indicar con el extremo de su costoso habano la etiqueta de la botella de agua que le había presentado como prueba y que descansaba sobre la mesa; luego señaló seguro de sí mismo:

—Como muy bien dejó escrito ese pobre hombre, «Dios no está».

—Estaba fregando el suelo cuando apareció en el umbral de la puerta, tan alta, tan elegante, tan segura de sí misma, con aquel porte de señorona rica, que en un principio supuse que se trataba de una turista que se había desorientado en el desierto de Sóo y venía en busca de ayuda. Sin embargo, lo primero que hizo fue preguntar por Ramiro y en cuanto le dije que llevaba semanas perdido en altar mar se desinfló como un globo al que acabaran de clavarle un alfiler y le fallaron las piernas hasta el punto de que se derrumbó sobre una silla.

»—¡No es posible! —casi sollozó—. No es posible.

»Acudí a su lado, le ofrecí un vaso de agua, pero me respondió que lo que necesitaba era un whisky, que se tragó como si fuera agua. Te juro que en mi vida he visto a una mujer beber como ella lo hacía; era una esponja y se ventiló la botella en menos de lo que canta un gallo.

—¿Era esa la que se suicidó? —quiso saber Mubarrak.

—La misma: Soledad Miranda.

—¿Y qué hacía en casa de Ramiro?

—Había venido a verle porque al parecer habían estudiado juntos. —Fulgencia hizo una corta pausa y añadió al poco—: Pero estoy convencida de que lo que en realidad venía buscando, no era a Ramiro; eran las libretas de Ramiro.

—No lo entiendo… —admitió el saharaui, evidentemente confuso—. ¿Cómo podía saber que existían y que eran de Ramiro?

—Eso fue lo que le pregunté y su respuesta no me dejó lugar a dudas:

»—Ramiro y yo hicimos juntos la carrera, y aparte de que le compraba los apuntes, al igual que otros muchos compañeros, solíamos reunirnos los fines de semana y sin su ayuda probablemente nunca hubiera conseguido aprobar. Por eso, cuando vi en casa de los Ojeda unas libretas como las que Ramiro solía utilizar y reconocí su letra y su forma de plantear y resolver los problemas, comprendí en el acto que aquel par de mentecatos, ni estaban preparados, ni eran en absoluto los autores de un trabajo tan perfectamente estructurado. A mi modo de entender, y de química sé bastante, los estudios sobre el origen de la vida eran obra de mi ex compañero de carrera, el inteligentísimo Ramiro Escribano, por lo que nunca me cupo duda de que se lo habían robado.

»—¿Y por qué no los denunció? —le pregunté.

»—Porque antes necesitaba confirmar mis sospechas con el propio Ramiro, pero no tuve tiempo de hacerlo porque alguien puso fin al problema cortándoles el cuello.

»—Y supongo que usted imaginó que había sido el propio Ramiro… —aventuré.

»—Lógico, ¿no le parece? —me replicó alargando el vaso con el fin de que le sirviera otro whisky—. Si alguien se hubiera atrevido a robarme un trabajo de semejante importancia no le cortaría el cuello, le quemaría a fuego lento.

»—No creo que Ramiro hubiera actuado de ese modo

—señalé—. Aparte de que si no hubiera desaparecido en el mar, los Ojeda nunca se hubieran atrevido a robarle.

»—Pues si no fue él, ¿quién lo hizo? —inquirió.

»—Supongo que alguno de los que ya conocen el estudio.

»—¿Esos idiotas? —se sorprendió—. Lo dudo. Ninguno de ellos sería capaz de cortarle el cuello a un lagarto.

»Alargó una vez más la mano ansiosamente, como si en verdad se estuviera muriendo de sed y mientras le llenaba el vaso, señalé:

»—Eso significa que usted ha venido convencida de que había sido el propio Ramiro —dije—. ¿Qué pretendía? ¿Hacerle chantaje?

»—¿Cómo se le ocurre? —Fingió ofenderse, aunque tuve la sensación de que había dado en el clavo—. Lo único que pretendía era ayudarle haciéndole comprender que entendía y aprobaba que se hubiera cargado a semejante par de cabrones. Aunque admito que también tenía intención de proponerle que compartiéramos los beneficios.

»—No creo que Ramiro se hubiera prestado a algo así —señalé—. Pero lo que yo opine carece de importancia porque lo cierto es que resulta evidente que no ha tenido nada que ver en todo este asunto.

»—¿Y ahora qué hago? —casi gimió, a punto de echarse a llorar sin el menor reparo.

»Te juro, Mubarrak, que en esos momentos se me antojó la mujer más hundida y desesperada que haya visto en mi vida; se apoderó de la botella y ya no la dejó en paz hasta que no se bebió hasta la última gota. Me dio la impresión de que tenía puestas todas sus esperanzas en llegar a algún acuerdo con Ramiro y que todo su mundo se venía abajo al descubrir que no era así.

—¿Y se suicidó por eso?

—No exactamente.

—¿Qué quieres decir?

—Que probablemente aún continuaría con vida si no hubiera cometido el estúpido error de comentar que pensaba contarle a la policía todo cuanto sabía acerca de Ramiro y su teoría sobre el origen de la vida. Según ella, si contribuía a aclarar quién había matado a los Ojeda tal vez obtendría alguna recompensa.

—Me asusta pensar lo que estoy pensando —musitó con voz ronca el saharaui—. ¡Me asusta mucho!

—Sin embargo no te asustó correr hasta Playa Blanca para acabar con aquel par de cerdos.

—¡No es lo mismo!

—¿Por qué? A mi modo de ver Soledad Miranda era tan miserable como los Ojeda, o tal vez más, puesto que no demostraba sentir el menor escrúpulo por pretender beneficiarse de dos asesinatos. Y parecía importarle un carajo quién podía ser el verdadero culpable de la muerte de quienes le habían invitado a venir a la isla, que por lo visto eran amigos suyos.

—¿Y qué fue lo que pasó?

—Que continuó bebiendo, gimoteando y lamentándose. Por lo que pude deducir, de entre las muchas tonterías que llegó a decir, estaba en la ruina y ya no se sentía con fuerzas para empezar de nuevo porque afirmaba que cuando las tetas empiezan a caerse y las nalgas se aflojan ya no se está en edad de vender sino de comprar. Lo cierto es que cuando una mujer bebe hasta ese punto acaba por convertirse en un auténtico desecho humano, por muy hermosa que haya sido.

—Sigues sin decirme qué pasó —observó el muchacho.

—Pasó que cuando oscureció ya casi no se mantenía en pie, pero aun así estaba empeñada en regresar al hotel, pese a que no tenía ni la menor idea de cómo llegar hasta él en semejante estado. A la vista de ello me brindé a acompañarla con el fin de indicarle el camino.

—Pero supongo que no la llevaste en dirección a Playa Blanca, sino en sentido contrario, hacia los riscos de Famara.

—¿Y qué otra cosa podía hacer? —quiso saber su interlocutora, como si en verdad se tratara de una cuestión que estaba fuera de toda discusión—. ¿Debía permitir que fuera a contarle a la policía lo que sabía? ¿Cuánto tiempo crees que hubieran tardado en relacionarte con la muerte de los Ojeda?

—O sea que lo hiciste por mí…

—Por ti exactamente, no. Por Ramiro, que es quien en verdad nos une, y que fue por quien tú hiciste lo que hiciste.

—¡Alá es grande!

—Si en verdad lo fuera nunca ocurrirían estas cosas.

—¿La empujaste?

—No fue necesario. Era noche cerrada y todo el que vive en la isla sabe que esa jodida carretera se abre justo sobre el abismo. En el lugar preciso le pedí que se detuviera porque necesitaba orinar y como había supuesto, vista la increíble cantidad de whisky que se había metido entre pecho y espalda, decidió imitarme y me siguió.

—¿Pretendes hacerme creer que se cayó sola? ¡Anda ya!

—¡Es la verdad! —replicó la peruana con sorprendente naturalidad—. Yo estaba serena, sabía muy bien dónde pisaba, y hasta dónde podía llegar sin correr peligro. Ella no.

—¿Y ese pequeño detalle es suficiente para no sentirte culpable?

—No exactamente, pero en aquellos momentos tenía

muy claro que si debía elegir entre el futuro de un desecho de mujer, alcohólica, ambiciosa y sin escrúpulos, y el de un muchacho del que además dependen una madre y tres hermanas, la cosa no admitía dudas. —Fulgencia hizo una corta pausa para añadir al poco en tono de sincero convencimiento—: Además, creo que en el fondo le hice un favor; estaba acabada y cualquier día habría tenido que pasar por el doloroso trance de cortarse las venas. En aquellos momentos estaba tan borracha que ni siquiera se enteró de que se precipitaba al vacío. Ocurrió todo en un instante.

—Visto de ese modo…

—¿Y qué otro modo hay de verlo? —quiso saber su interlocutora—. Tú mismo dijiste en cierta ocasión que los Ojeda se comportaron como auténticas hienas. ¿Qué diferencia existe con el comportamiento de una arpía como Soledad Miranda?

—Supongo que muy poca.

—Eso mismo pensé yo. Aquella bruja ya no puede hacernos daño, pero ahora el problema que se nos presenta es otro: ¿qué pasará cuando Ramiro regrese y la policía le pregunte sobre los Ojeda y su extraña teoría sobre el origen de la vida?

Jamás habría imaginado que aquel a quien había salvado la vida a riesgo de la mía, y al que siempre consideré mi mejor amigo, ni tan siquiera hubiera tenido la delicadeza de esperar a que apareciera mi cadáver para robarme lo único en verdad valioso que jamás había poseído.

Es más que probable que en caso de encontrarme en trance de morir, yo mismo le hubiera dejado en herencia

mi trabajo, ¿a quién mejor?, pero saber que me había traicionado de una forma tan rastrera no me provocaba ni ira
ni rencor; tan solo una profunda amargura.

Pasado el tiempo, me sirve de consuelo comprobar que
la traición de Leonor y Damián había servido para demostrar la profundidad del afecto, la fidelidad y el respeto
que me profesan tanto la cariñosa Fulgencia como el joven
Mubarrak.

«De desagradecidos está el infierno lleno» y «Es de bien
nacidos ser agradecidos».

Según tan populares refranes, los Ojeda deben de estar
quemándose en los infiernos, mientras que Fulgencia y
Mubarrak seguirán siendo siempre dos seres humanos
«bien nacidos».

El resultado final de toda esta amarga y decepcionante
historia es el hecho incuestionable de que mi vida ha perdido gran parte de sus alicientes, puesto que ya no puedo soñar
con que algún día alcanzaré la gloria por haber sido el primer hombre que desentrañó el secreto del origen de la vida.

Admitir públicamente, y sin la confidencialidad de estas páginas, que fui yo quien llevó a cabo los estudios que
desembocaron en tres muertes violentas sería tanto como
señalar con el dedo a quienes en mi ausencia se tomaron la
justicia por su mano.

Y ese es un precio que no estoy dispuesto a pagar.

Mis libretas de apuntes —de tapas negras y papel ligeramente amarillento— continúan enterradas en el mismo
lugar donde las ocultó Fulgencia, y los ahora inútiles microscopios se cubren de polvo en una estantería.

Esa es la voluntad de Dios, y esa es la mía.

No puedo por menos que agradecerle que me concedie-
ra el privilegio de ser el primero en conocer la magnitud de
su prodigiosa obra, así como de permitirme experimentar

una indescriptible y maravillosa sensación que me acompañará hasta el día de mi muerte.

Constituye una íntima satisfacción que nadie podrá arrebatarme y estoy convencido de que ni el reconocimiento de los más sesudos científicos, ni los homenajes de los más brillantes intelectuales podría igualar, ni de lejos, la perfección de aquel momento único e inimitable.

El mes próximo viajaré a Camerún con el fin de intentar aliviar, en la medida de mis fuerzas, las penalidades de unos pobres niños cuyo padre murió de una forma injusta, cruel y espantosa. De ahí en adelante me limitaré a agenciarme un nuevo barco con el que zarpar cada noche para tratar de ayudar a llegar a tierra firme, sanos y salvos, a cuantos infelices aspiran a conseguir una vida más segura y más digna en un mundo ligeramente más digno y más seguro que aquel que se vieron obligados a abandonar.

Confío que con el paso del tiempo los isleños se olviden de los extraños crímenes que un día les atemorizaron, e incluso Fulgencia y Mubarrak los olviden, por lo que yo acabaré siendo el único ser humano de este mundo que conservará para siempre en la memoria los sorprendentes acontecimientos del pasado verano.

Y si algún día alguien se atreve a preguntarme por qué razón me burlé de la justicia y acepté que los culpables de la muerte de tres indeseables no pagaran por sus actos, me limitaré a responder que por la misma razón por la que esa justicia se burló de mí al permitir que el culpable de la muerte de tres inocentes no pagara por sus crímenes.

«Ojo por ojo y diente por diente.»

Aunque se trate de la justicia.

ALBERTO VÁZQUEZ-FIGUEROA
Lanzarote-Madrid, septiembre de 2004